DATE DUE			

Collection dirigée par le professeur Roger Brunet,
assisté de Suzanne Agnely et Henri Serres-Cousiné.

© *Librairie Larousse. Dépôt légal 1978-1ᵉʳ — Nᵒ de série Éditeur 8403*
Imprimé en France par l'imprimerie Jean Didier (Printed in France).
Librairie Larousse (Canada) limitée, propriétaire pour le Canada
des droits d'auteur et des marques de commerce Larousse.
Distributeur exclusif pour le Canada : les Éditions françaises Inc.,
licencié quant aux droits d'auteur et usager inscrit des marques pour le Canada.

Iconographie : tous droits réservés à A.D.A.G.P. et S.P.A.D.E.M.
pour les œuvres artistiques de leurs adhérents,
ISBN 2-03-013933-5

LA *BOURGOGNE*

Librairie Larousse
17, rue du Montparnasse, 75006 Paris.

Sommaire

Dans chaque chapitre figure une carte originale de Roger Brunet.

Les numéros entre parenthèses renvoient aux folios placés en bas de page avec les titres abrégés des chapitres (1. Vignobles bourguignons — 2. Châteaux en Bourgogne — 3. La Bourgogne romane 4 Vézelay — 5. Grandes nefs de l'Yonne — 6. Le Morvan).

1. Bourgogne,
royaume de Monseigneur le Vin

rédigé par Michel Piot

Le reportage photographique a été réalisé par
Mery-Vloo,
à l'exception des photos :
p. 2, vu du ciel par Alain Perceval;
p. 3 (bas), Jipé-Cedri;
p. 16, Jalain-Cedri;
pp. 4 (haut), 14 (haut), Niepce-Rapho;
p. 4 (bas), Langiaux-Fotogram;
pp. 7, 19 (haut, à droite), Jacques Verroust;
p. 8, Ruyant Production-de-Forceville
p. 12, Lanaud-Vloo;
p. 13 (bas), Lepage-Vloo;
p. 14 (bas), Savard-Atlas-Photo;
p. 15, Loirat-C.-D. Tétrel;
p. 19 (haut, à gauche), P. Tétrel;
p. 17 (haut), Hinous-Top;
pp. 19 (bas), 20, Putelat-Top;
p. 17 (bas), Minirel-Explorer;
p. 18 (bas), Errath-Explorer;
p. 18 (haut), Maurice Gueugnon.

2. Châteaux et places fortes
en Bourgogne

rédigé par Philippe Levantal

Le reportage photographique a été réalisé par
Michel Delaborde,
à l'exception des photos :
pp. 6-7 (haut), J. Verroust;
p. 12, E. Revault;
p. 14 (haut), Nahmias-Top;
pp. 14-15 (bas), J. Verroust;
p. 15 (haut), B. Beaujard;
p. 16 (à droite), J. Guéritte;
p. 19 (haut), Giraudon.

Notre couverture :
Village de Pernand-Vergelesses

Photo : Dupont-Explorer

Le reportage photographique a été réalisé par
Théodore Vogel-Explorer,
à l'exception des photos :
p. 13 (bas), Reichel-Top;
p. 19 (haut), P. Tétrel.

Le reportage photographique a été réalisé par
Michel Desjardins-Top,
à l'exception des photos :
p. 1, Grandsard-Fotogram;
pp. 7, 14 (bas), 15 (bas), 17 (haut),
20, J. Bottin;
p. 13 (haut), Loirat-C.-D. Tétrel;
pp. 14-15, Levassort;
p. 16 (haut), Marineau-Top.

Le reportage photographique a été réalisé par
Théodore Vogel-Explorer,
à l'exception des photos :
p. 9, Picou-Fotogram;
pp. 10-11, Lelièvre-Explorer.

Le reportage photographique a été réalisé par
Robert Tixador-Top,
à l'exception des photos :
p. 9, J. Verroust;
p. 15 (haut), Lanceau.

La Bourgogne

*Q*UI PENSE « *Bourgogne* » *évoque aussitôt, et tout à la fois, l'accent rocailleux, la bonne table, le vin généreux et, s'il reste après cela quelque place pour des sensations plus subtiles, l'un des plus précieux ensembles artistiques qui soient en France. Mais demandez qu'on vous parle de paysages, et vous n'obtiendrez rien de clair : tout juste des points de suspension, faute de points d'exclamation.*

Pourtant, Vézelay et Avallon sans leur site perdraient bien de leur charme, et le Vignoble a bien de l'allure, vu des falaises qui dominent Saint-Romain. La Bourgogne, en effet, est un de ces «pays coupés» dont les replis et les vallonnements multiplient les séductions, et, gênant la culture, laissent toute leur place aux bois et aux prés. Il n'est pas fréquent qu'un pays de vignobles soit aussi un pays vert : mais c'est bien le cas de la Bourgogne. Comment pourrait-on présenter ses monuments sans ses paysages, qui les subliment?

La Bourgogne fait le gros dos, entre les plaines de la Seine et celles de la Saône. Au beau milieu du plus grand axe de communication français, qui zèbre le pays du Havre à Marseille, elle interpose des accidents modestes mais non négligeables, qu'il fallait tenir ou conquérir. S'il en reste à peine, de nos jours, de quoi donner un peu de pente à l'autoroute, cela valut à la Bourgogne un rôle actif dans l'histoire : qui tenait la Bourgogne tenait la route, ses menaces, ses trafics et ses péages. Comment, sans cela, comprendre la valeur de la position stratégique d'Alésia ou de Bibracte, la prolifération des châteaux, et même la puissance des célèbres ducs qui régnèrent aux XIVᵉ et XVᵉ siècles?

Cet obstacle, donc, attira. Il écarterait plutôt, aujourd'hui, les accumulations, du moins usinières : quoique bien vivants, les reliefs bourguignons seraient plutôt... la partie déprimée du grand axe, entre les énormes concentrations parisienne et lyonnaise. Déprimée, et donc convoitée : car le tourisme tire grand profit, et de ce calme, et de cette proximité — comme il bénéficie de ce qu'ont laissé les siècles de gloire, de quelques aménagements récents, et de l'amour du vigneron pour sa récolte.

Terre de seigneurs, la Bourgogne a conservé un solide ensemble de châteaux et de villes fortes. Ce qu'elle a de plus beau peut-être, dans ce domaine, se trouve entre Auxerre et Dijon, dans ces villages qu'on dirait tout droit sortis du Moyen Âge, bardés de murs et hérissés de tours, où presque chaque rue serait à voir : Flavigny-sur-Ozerain, tout près du mont Auxois et des restes de ce qu'on suppose être Alésia; Semur-en-Auxois, dont l'Armançon renforce les défenses; Montréal et Noyers, ces bijoux; Montbard même. Du Morvan au Vignoble règnent plutôt les châteaux forts isolés : Bazoches et Chastellux au pays de Vauban, Époisses et Châteauneuf gardant le grand passage par l'Auxois, et vingt autres qui dénotent la valeur stratégique du lieu, sans faire oublier, toutefois, d'autres forteresses éparses en Charolais ou en Mâconnais, et même en Puisaye. La Bourgogne des temps modernes n'a peut-être pas eu le prestige de la Bourgogne médiévale, et elle a laissé moins de monuments; mais comment négliger ces réussites de la Renaissance ou du classicisme que sont Sully, Tanlay ou Ancy-le-Franc? ou les folies du XVIIIᵉ siècle, du côté de Fontaine-Française?

Terre des moines, la Bourgogne le fut aussi, et en tire bonne part de sa gloire. C'est là que Cluny défricha, fit défricher par ses «filles» et ses «granges», et diffusa ce qu'avait de meilleur l'art roman, avant que Cîteaux ne la supplante en choisissant le dépouillement. Si les deux grandes ont disparu, ou presque, la Bourgogne méridionale, côté Mâconnais et côté Brionnais, s'enorgueillit ainsi de quelques-uns des trésors de l'art roman, et de modestes mais splendides églises, tandis qu'au nord Fontenay et Pontigny se répondent. Mais c'est Vézelay qui a porté le plus haut et le plus loin la renommée de la Bourgogne et de l'art roman, en ajoutant à l'architecture et à la sculpture la dimension mystique d'une colline inspirée.

Les autres formes d'art religieux ne sont guère en reste : Sens a la première des grandes cathédrales gothiques, Auxerre a l'une des plus belles, avec tout un cortège d'églises à visiter; à Clamecy, Avallon ou Autun, comme à Dijon, c'est un merveilleux mélange de vieilles rues et de murailles, d'hôtels sculptés et d'églises historiées, où se croisent et se répondent les œuvres commandées par le pouvoir, par la foi et par le commerce.

Terre des vignerons, et bien évidemment du négoce qui va avec, la Bourgogne a cette chance d'avoir non seulement des crus parmi les plus renommés du monde, mais encore, en quelque sorte, le paysage qui va avec : une longue côte aux terroirs subtilement variés, dont les « climats » ont des noms à faire rêver, peuplée de villages animés et de petites villes décorées, auxquelles les toits aux tuiles vernissées donnent un air de fête. Voyez, dans ce livre, comment la terre rouge et les losanges jaunes d'Aloxe-Corton vont bien avec le truculent vigneron de la page qui précède, et comme le clos de Vougeot va bien avec l'hospice de Beaune, par leurs cours aux airs de cloîtres.

Terre de montagnards, pourquoi pas? Derrière Dijon et Beaune, le plateau se nomme bien « Montagne ». Et le Morvan n'est-il pas « la montagne la plus proche de Paris »? C'est bien à ce titre qu'il attire. Château d'eau, il a été pourvu de lacs qui tour à tour écrêtent les crues et élèvent les étiages menaçant Paris, et offrent récréation aux pêcheurs, baigneurs et marins d'eau douce. Forêt, il est comme une « réserve de nature » pour la promenade pédestre ou équestre sous les hêtres et les sapins, et se plaît à cultiver les arbres de Noël. Pays haut, il a, du côté de l'ancienne Bibracte, une ou deux stations de ski. Pays refuge, il cache derrière chaque butte un vieux château, une abbaye perdue, un village pierreux, moussu, attendrissant et rude à la fois; et tout un folklore qui tient au souvenir des galvachers — ces rouliers des grands chemins —, du flottage des bois, des « petits Paris » abreuvés au sein des nourrices morvandelles, et d'un monde de légendes vraiment touffu.

De telle sorte qu'un parfum de mystère et de rêve flotte tout à côté des solides réalités du Vignoble, ou du Creusot, comme le souvenir du joyeux Bussy-Rabutin voisine avec la rigueur de Fontenay, ou Vauban avec Vézelay : bien des facettes pour une même région.

ROGER BRUNET

Bourgogne
royaume de Monseigneur le Vin

◀ *Chantre du bourgogne,*
un joyeux chevalier du Tastevin.

2. Vignobles bourguignons

*Créé à l'époque gallo-romaine,
amélioré par les moines besogneux de Cîteaux,
le vignoble bourguignon produit,
depuis le Moyen Âge,
des vins délectables que ses seigneurs d'alors,
les grands ducs d'Occident,
firent connaître au monde entier.*

Une benne de pinot noir,
▼ *plant noble de la Bourgogne.*

▲ *Au printemps,
les vignes taillées
d'Aloxe-Corton.*

Maison médiévale de Dijon, ▶
capitale de la Bourgogne.

*La vendange et le pressurage
qui fait ruisseler le jus des grappes
gorgées de soleil
sont le couronnement
d'une année de travail minutieux,
et la qualité du bourgogne dépend,
pour une bonne part, des soins jaloux
dont le viticulteur entoure ses vignes.*

▲ *Vignerons
au travail
dans l'illustre
Clos de
Vougeot.*

*Au musée ▶
du Vin,
à Beaune,
un pressoir
centenaire.*

*Sur la côte de Nuits, ▶
vendanges à Fixin.*

4. Vignobles bourguignons

▲ *Citadelle du vignoble,*
le château fort
de Gevrey-Chambertin.

À Pouilly, ▶
vieillissement des vins
de « longue garde ».

Les belles caves voûtées ▶
d'un négociant beaunois.

C'est au XVIIIᵉ siècle que les Bourguignons,
cherchant à rendre leurs vins plus capiteux,
découvrirent l'influence bénéfique du vieillissement en cave
et la lente alchimie qui donne aux grands crus
un bouquet incomparable...
alors qu'elle transforme les vins ordinaires en piquette.

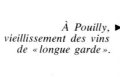

8. Vignobles bourguignons

Clos-de-vougeot
ou corton-charlemagne,
rouges pommards
ou blancs meursaults,
les vignes serrées,
alignées au cordeau,
de la « Côte »
produisent,
sur un terroir
grand comme un mouchoir,
quelques-uns
des plus célèbres
vins du monde.

Un breuvage ▶
qui sollicite
à la fois la vue,
l'odorat et le goût.

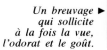

▲ Le château
du Clos de Vougeot,
fief du Tastevin.

À la vente ▶
des Hospices
de Beaune,
les enchères
prennent fin
quand la bougie
est consumée.

▲ *Site préhistorique célèbre,*
la roche de Solutré,
au pied de laquelle
s'élabore le pouilly-fuissé.

« *L*e plus beau geste que puisse accomplir un être humain, c'est de verser à boire à son prochain. »

On a oublié le nom de celui qui émit, voici longtemps sans doute, cette judicieuse pensée. Il ne s'agissait certainement pas d'un buveur d'eau : une si généreuse noblesse d'esprit ne pouvait appartenir qu'à un Bourguignon. C'est du moins ce qu'on vous affirmera sur la Côte, entre Chagny et Dijon, une bande de terre de 60 km de long, dont la largeur n'atteint parfois pas 200 m et ne dépasse jamais 2 000 m. Entre la plaine de la Saône et la puissante corniche qui limite, à l'est, le plateau bourguignon — la Montagne, comme on l'appelle ici —, sur les flancs ensoleillés des coteaux qui moutonnent au pied de la falaise, la vigne-reine s'étend comme un tapis. Nous sommes dans le domaine sacré de « Monseigneur le Vin », « Messire Vin », comme l'appelait avec respect le vigneron du Moyen Âge.

La renommée de cette infinitésimale parcelle de notre planète est telle, en tous les points du globe, qu'on en arrive à oublier sa petitesse : 4 000 ha pour les côtes de Nuits et de Beaune, à peine un deux-centième de la superficie du département de la Côte-d'Or, la surface d'une gentille exploitation américaine... On a du mal à imaginer que se côtoient là, plus imbriquées que les éléments d'une mosaïque byzantine, soixante-cinq appellations contrôlées, chacune comportant de vingt à cinquante « climats » (terroirs) différents, morcelés eux-mêmes entre plusieurs propriétaires. De quoi rêver...

Mais cette « mince frange d'or cousue sur un austère manteau de bure » ne saurait nous faire oublier que les vins de Bourgogne proviennent de quatre départements : l'Yonne, la Côte-d'Or, la Saône-et-Loire, le Rhône. Depuis un jugement du tribunal civil de Dijon, rendu le 29 avril 1930, la Bourgogne viticole est parfaitement délimitée. Malgré son étendue, 30 000 ha seulement produisent des vins d'appellation d'origine, car, dans cette vaste région au climat semi-continental, la vigne n'occupe que les coteaux abrités.

La vallée du Serein, dans l'Yonne, à 20 km à l'est d'Auxerre, nous offre le vignoble de Chablis. Rien que du vin blanc, mais quel vin blanc! Vaudésir, Preuses, Les Clos, Grenouilles, Bougros, Valmur, Blanchots, Fourchaume, Vaucoupin et quelques autres figurent parmi les plus grands climats de chablis, que la Confrérie vineuse des Piliers chablisiens s'emploie à faire apprécier à leur juste valeur.

De là, il faut traverser les plateaux bourguignons et les monts du Morvan pour atteindre, sur l'escarpement qui épaule, à l'est, la large plaine de la Saône dont chaque nom de village chante le *Te Deum* du vin : Vosne-Romanée, Vougeot, Gevrey-Chambertin, Morey-Saint-Denis, Volnay, Pommard...

Viennent ensuite la côte chalonnaise, qui produit le mercurey, le rully et le givry, puis les collines du Mâconnais et leurs célèbres pouillys.

En continuant à descendre vers le Midi, le sol devient granitique : nous sommes dans le Beaujolais, qui ne se termine que 50 km plus au sud, au-delà de Villefranche-sur-Saône, sur les rives de l'Azergues et de la Turdine.

Vingt siècles de tradition

L'histoire du bourgogne commence sans doute, bien que la question soit controversée, avec la conquête romaine et l'importation de vignes provenant d'Italie. Dès le IIIe siècle, le vigneron gallo-romain, raffiné quand il s'agissait de son plaisir, avait déjà eu l'idée géniale de remplacer par un fût de chêne les outres de peau et les amphores romaines, beaucoup moins favorables que le bois au vieillissement du vin. Il avait également découvert des espèces nouvelles, capables de donner des vins de qualité sous le climat bourguignon, trop septentrional pour les plants latins.

Au Moyen Âge apparurent les grands monastères. Industrieux comme des fourmis, les bénédictins de Cluny et les cisterciens de Cîteaux travaillèrent sans relâche la vigne et, pour améliorer la qualité du vin, inaugurèrent la « taille courte ». Le vignoble gagna sur les bois et les friches, et prit, à peu de chose près, l'aspect que nous lui voyons aujourd'hui.

En propriétaires avisés, les abbés et les ducs de Bourgogne surent faire apprécier les vins de leurs domaines à tous les grands de l'époque. Se proclamant fièrement « seigneurs des meilleurs vins de la chrétienté », les « grands ducs d'Occident », qui avaient la puissance et le prestige de véritables souverains, furent les meilleurs ambassadeurs des crus bourguignons.

Grâce à leur propagande, la position de Beaune au sommet de la hiérarchie des vins était aussi peu contestable, à la fin du Moyen Âge, que celle du pape au sommet de la hiérarchie des chrétiens.

Au cours des XVe, XVIe et XVIIe siècles, où l'on assista à la mainmise des Anglais sur le Bordelais, puis à la naissance du champagne (du moins celui que nous connaissons de nos jours), le vignoble bourguignon connut des hauts et des bas. Le XVIIIe siècle marque un tournant important dans l'histoire du bourgogne. En cherchant à répondre à la demande de la clientèle britannique, qui appréciait surtout les vins capiteux, les vignerons bourguignons découvrirent l'influence bénéfique du vieillissement. La « longue garde », qui dénature les vins de consommation courante mais améliore les grands crus, était née; le bourgogne devenait un « vin vieux ».

La Révolution agrandit le vignoble, mais la qualité s'en ressentit : trop de démocratisation ne vaut rien au vin. La Restauration avait à peine compensé ces excès que survinrent les années noires. Vers

Le tastevin

Le tastevin (prononcer : tâtevin), cette petite tasse d'argent (ou, plus souvent, de métal argenté) qui a donné son nom à la célèbre Confrérie des chevaliers du Tastevin, n'est pas seulement un accessoire folklorique. Depuis le début du XVIIᵉ siècle, tout vigneron bourguignon en possède un, et plus d'un tastevin ne quitte jamais la poche de son propriétaire. Sa forme évasée n'est pas destinée à « faire joli », mais à permettre de humer le vin. Quant aux « cupules », aux « stries » et aux « boutons » qui décorent l'intérieur, ils servent à apprécier la limpidité et la couleur du nectar, car toute dégustation digne de ce nom commence par un examen olfactif et visuel de ce que l'on va boire. ■

Une leçon de dégustation

Apprécier un vin à sa juste valeur exige une certaine compétence. Écoutons, de la bouche de l'œnologue Pierre Bréjoux, la définition d'un grand bourgogne et des conseils pour sa dégustation :

« Les grands vins rouges de la Côte d'Or réunissent en un tout harmonieux les qualités que l'on peut souhaiter. Leur couleur est vive, plus ou moins foncée, d'un rouge sans teinte de violet. Le bouquet est un heureux ensemble de parfums où l'on cherche à retrouver une odeur de fleur ou de fruit. Ces vins sont corsés, c'est-à-dire qu'ils ont une certaine consistance, de la chair, un goût prononcé qui emplit la bouche. Ils ont aussi du moelleux, de l'onctuosité et aucune âpreté. Certains sont souples ou énergiques, tendres ou puissants, mais tous ont de la « mâche ». Cette expression correspond à la « sève » du bordeaux. Elle désigne la saveur qui se développe lors de la dégustation, embaume la bouche et continue à se faire sentir après le passage du vin dans le gosier (on dit aussi que ces vins « font la queue de paon »). La mâche diffère du bouquet en ce que celui-ci flatte plutôt l'odorat que le goût.

« Tous les grands crus sont racés, mais il y a plusieurs degrés dans leurs qualités d'après l'âge des ceps. Les vins de jeunes vignes sont un peu maigres et ils n'ont pas la distinction des grands vins de vieilles vignes.

« Une dégustation à la cave est souvent trop optimiste. Il est bon de juger les vins chez soi, le matin, vers onze heures. » ■

▲ *Outil de travail avant que d'être emblème, le tastevin du viticulteur bourguignon.*

À Berzé-le-Châtel, une forteresse féodale veille sur les précieuses ▼ *vignes du Mâconnais.*

1870, importé du Nouveau Monde, apparut *Phylloxera vastatrix*, minuscule pou américain qui ravagea, à peu près sans exception, tout le vignoble européen. On crut le vin mort à jamais… Mais d'où le mal était venu vint aussi le remède. On découvrit que les plants américains étaient « vaccinés » contre le dévastateur, et nos vignerons réussirent à greffer les vieux cépages nobles sur ces tuteurs sains.

Après des siècles de patiente sélection, les viticulteurs bourguignons ont adopté trois cépages principaux. La Côte d'Or est le domaine du *pinot noir,* raisin au grain sombre à jus blanc, qui donne tous les grands crus rouges. Le Mâconnais et la région de Chablis, qui produisent des vins blancs, utilisent le *chardonnay.* Quant au Beaujolais, c'est le fief du *gamay noir à jus blanc.* Enfin, il

faut citer l'*aligoté,* qui donne un vin blanc fruité et élégant, le bourgogne aligoté. Le bourgogne passe-tout-grain est obtenu en mélangeant un tiers de pinot et deux tiers de gamay.

Si le cépage suffisait à assurer la qualité d'un vin, l'œnologie perdrait tous ses mystères. Il faut donc chercher ailleurs l'explication de la réussite presque miraculeuse de certains vins.

Le climat, peut-être? De toutes les régions du monde qui produisent de très grands vins rouges, la Bourgogne est la plus septentrionale. Ses normes climatiques d'été sont analogues à celles du Bordelais, car l'influence continentale compense la latitude, plus élevée. Cela dit, aucune considération météorologique ne saurait motiver les qualités d'un cru. Tout au plus certains facteurs sont-ils considérés comme

Un « clos » ouvert au monde entier

Parmi les crus de Bourgogne connus du monde entier, le Clos de Vougeot occupe une place de choix, et sa notoriété tient peut-être encore plus à l'histoire de ce vignoble de 50 ha, entourant un château massif, qu'à la qualité, pourtant remarquable, du vin qu'il produit.

Il faut remonter au début du XIIe siècle. La renommée de sainteté des religieux de Cîteaux, l'austérité de leur règle monacale et surtout leur pauvreté, qui contraste avec l'opulence des autres abbayes, provoquent, dans toute la chrétienté, un grand élan de générosité. À partir de 1110, les donations affluent, et les moines, sages gérants de ces nouvelles richesses, acquièrent le domaine de Vougeot et le ceinturent de murs (d'où le nom de « clos ») que ni guerres ni révolutions n'abattront jamais. En 1791, devenu bien national, le Clos de Vougeot est adjugé à un marchand de bois, mais son intégrité est respectée.

Le château, de style Renaissance, englobe les anciens bâtiments professionnels des moines vignerons, notamment la cuverie, qui abrite quatre pressoirs gigantesques, et le grand cellier, où se déroulent les pantagruéliques « disnées » de la Confrérie des chevaliers du Tastevin.

Fondée en 1934 par un groupe de Bourguignons entreprenants, pour lutter contre la mévente du vin, la Confrérie connaît une renommée grandissante à travers toute l'Europe et jusqu'en Amérique. Depuis 1944, elle est propriétaire du château du Clos de Vougeot. Ce cadre

▲ *Le château*
du Clos de Vougeot
sert de cadre aux « disnées »
des chevaliers du Tastevin.

Dominées par les tours
du vieux Saint-Vincent,
les maisons de Mâcon
▼ *se serrent le long de la Saône.*

bénéfiques : collines protégeant les vignes des vents humides de l'ouest, légère élévation au-dessus des zones de brouillard...

Le sol, alors? Il fournit sans doute davantage d'indices. La Côte d'Or est constituée par le bord d'un plateau composé de divers calcaires, plus compacts dans la côte de Nuits où les pentes sont plus raides, accompagnés de marnes dans la côte de Beaune où, au lieu d'une étroite bande de vigne au-dessous d'une crête calcaire, on découvre un vignoble plus large et doucement incliné.

L'art du vigneron? Il joue sûrement un grand rôle. Près de vingt siècles de tradition ont appris à cet expert à greffer les « chapons » (jeunes plants) pour en faire des « plantiers », à « smarder » les ceps (à remonter la terre autour du pied) pour leur donner de la vigueur, à les tailler, à les monter, à les « accoler » (lier avec des brins d'osier). Le négociant-éleveur, de son côté, doit savoir choisir le vin nouveau et veiller à son complet développement en écartant de lui toutes les maladies qui le guettent.

Pourtant, des essais ont été faits dans divers pays : un même type de sol, un climat à peu près identique, des méthodes semblables et l'emploi des mêmes cépages ne donnent pas le même vin. Buvons donc nos bourgognes sans trop chercher à comprendre.

Le décret-loi du 30 juillet 1935 contrôle les appellations et réglemente, pour chaque vin, l'aire de production, le cépage, le rendement maximal à l'hectare et le degré alcoolique minimal. Actuellement, la « police du vin » est assurée par les agents techniques de l'Institut national des appellations d'origine, des Contributions indirectes et du Service de la répression des fraudes.

En Bourgogne, on compte cent dix appellations officielles différentes. Il serait fastidieux de les énumérer. Disons seulement qu'elles se répartissent dans quatre grandes catégories, qui sont, de la plus basse à la plus haute :

1. Les appellations régionales ou génériques, désignant des vins récoltés sur tout le territoire de la Bourgogne (bourgogne ordinaire ou grand ordinaire, aligoté, passe-tout-grain, etc.).
2. Les appellations sous-régionales (côte de Beaune, côte de Nuits, etc.), qui s'appliquent à des vins produits dans une sous-région déterminée de la Bourgogne. Lorsque le nom de la sous-région est suivi de la mention « villages », le vin provient de communes sélectionnées (mâcon-villages, beaujolais-villages).
3. Les appellations communales. Ce sont les noms des communes où le vin a été produit (Meursault, Chablis, etc.).
4. Les grands crus, appelés « climats », sont désignés par leur seul nom (Clos de Vougeot, Chambertin, etc.). Lorsque le nom du climat est associé à celui de la commune sur le territoire de laquelle il se trouve, le vin est d'une provenance moins étroitement délimitée et, en principe, d'une qualité moindre (gevrey-chambertin, puligny-montrachet, etc.).

Le Mâconnais, de la préhistoire à Lamartine

Le bourgogne se boit, la Bourgogne se voit. On pourrait déguster un par un tous ses vins sans en avoir une connaissance complète, si on n'a pas foulé du pied le vignoble, si on ne s'est pas imprégné de l'ambiance de ces quelques dizaines de kilomètres carrés qui produisent les plus grands crus du monde.

Le voyage idéal, à contre-courant de celui des guides, mais qui aurait le mérite de nous faire rencontrer les plus grands vins en fin de parcours, se ferait en remontant du sud vers le nord. Délaissant le Beaujolais (dont la législation du vin fait une partie de la Bourgogne, mais qui, géographiquement et traditionnellement, se rattache à la région lyonnaise), nous commencerions notre périple par le Mâconnais. Sans vouloir diminuer en rien ses mérites, le beaujolais est d'ailleurs très différent des bourgognes. Alors que ceux-ci sont des vins de longue garde qui se boivent chambrés, le beaujolais est consommé dans l'année et servi frais. C'est le type même du bon vin que l'on peut boire tous les jours; or, nous nous proposons un pèlerinage au pays des crus exceptionnels.

Si l'on boit moins, aujourd'hui, de mâcons rouges, on boit beaucoup plus de mâcons blancs, qui ont le mérite d'être à la fois secs exceptionnel contribue à la magnificence de ses «chapitres» d'intronisation, dont le rite est inspiré du divertissement du *Malade imaginaire* de Molière. Les chevaliers confèrent également leurs lettres de noblesse aux grands vins : un bourgogne «tasteviné» prend de la valeur.

Si le château appartient au Tastevin, les vignes du clos, elles, sont la propriété d'une cinquantaine de viticulteurs, et continuent de produire un des tout premiers «climats» de Bourgogne. ■

Le château de La Rochepot

Au sommet d'un piton rocheux, dans un cadre pittoresque, les hautes murailles et les tours altières d'une forteresse médiévale, à laquelle des toits de tuiles vernissées confèrent un air de fête, jaillissent d'un écrin de verdure.

Construit au XIIIᵉ siècle par Alexandre de Bourgogne, prince de Morée, sur l'emplacement d'un ancien oratoire, le château de La Rochepot, qui s'appelait alors La Roche-Nolay, devint ensuite la propriété des princes de Savoie. En 1403, il fut acheté par un valeureux chevalier berrichon, Régnier Pot, de retour de croisade. Ce chevalier devait être un homme d'un rare mérite car le sultan Bajazet, qui l'avait fait prisonnier, n'avait pas hésité à lui offrir la main de sa fille. Régnier, qui était déjà marié et ne se sentait attiré ni par la polygamie ni par l'islamisme, ayant décliné cet honneur, le sultan mortifié l'avait fait jeter aux lions. Avec le concours de la Sainte Vierge, probablement charmée par ce bel exemple de fidélité conjugale et religieuse, Régnier était sorti vainqueur de l'affrontement, et Bajazet, pour le récompenser de sa vaillance, lui avait rendu la liberté.

Le nouveau propriétaire donna son nom au château, le modifia, le fortifia et, parce qu'il avait souffert de la soif en Arabie, fit creuser dans le roc un puits de 70 m de profondeur qui, à lui seul, lui coûta, paraît-il, aussi cher que l'édifice tout entier. À sa mort, en 1438, le château passa à son fils Jacques, dont le mausolée se trouve encore dans l'église du village. Le fils de Jacques, Philippe, fut un homme important. Filleul de Philippe le Bon, sénéchal de Bourgogne, ambassadeur à Londres, chevalier de la Toison d'or, il se rallia à Louis XI après la mort de Charles le Téméraire. Son tombeau, l'un des plus beaux qu'ait produit l'art bourguignon, est maintenant au musée du Louvre.

Par mariage, le château échut ensuite à la famille des Montmorency, puis à celle des Sully. Il passa après cela entre plusieurs mains, dont celles du cardinal de Retz. Pillé pendant la Révolution, en partie démoli, il fut vendu comme bien national et tomba en ruine. En 1893, ces ruines furent achetées par la femme du président de la République, Sadi Carnot, qui fut assassiné l'année suivante à Lyon. C'est le fils du président défunt qui a entrepris et mené à bien le considérable travail de restauration qui a permis au château de La Rochepot de retrouver sa splendeur d'antan.

Aujourd'hui, le château, qui est

→

Ardoises et tuiles bariolées, les toits pointus du château de La Rochepot émergent d'une couronne de feuillage. ▼

et fruités. Le vignoble du Mâconnais commence au sud de Mâcon, non loin de Juliénas, le plus septentrional des crus du Beaujolais, et se termine au nord de Tournus.

Ici, la vigne prend ses aises. Partout où elle peut s'installer, elle le fait. Le paysage est beau, les églises romanes sont nombreuses, et *Mâcon*, patrie de Lamartine, a consacré au poète une partie du musée situé dans l'hôtel Senecé, une bien belle demeure Régence. Le *mont Saint-Romain* offre un magnifique panorama circulaire sur la plaine de la Saône, la Bresse, le Jura, les Alpes, le Charolais et les premières bosses du Beaujolais. Quant à *Tournus*, c'est une ville d'art dont l'église Saint-Philibert mérite à elle seule un déplacement.

Mais si c'était le vin qui nous intéressait au premier chef, nous gagnerions directement le haut lieu du blanc. Ayant goûté un mâcon-viré pour nous rincer la bouche, vers onze heures du matin, au bord de la Saône (sous un léger brouillard doré, la rivière, majestueuse et calme, est admirable entre Mâcon et Tournus), nous commencerions notre voyage à *Pouilly* ou à *Fuissé,* aux noms si bien liés par la tradition vinicole que l'on s'imagine toujours qu'il s'agit d'un même village. Il s'en faut tout de même de quelques centaines de mètres. Pouilly est un hameau de la commune de *Solutré-Pouilly,* située au pied d'une «roche» bien connue de tous ceux que passionne la préhistoire. De ce promontoire, qui dessine comme une vague dans le ciel, nos ancêtres avaient fait, il y a quelque quinze mille ans, le premier abattoir organisé. Des rabatteurs poussaient les chevaux sauvages, alors très nombreux, jusqu'au bord de l'à-pic, puis, sans doute en les effrayant par des feux, ils les obligeaient à sauter dans le vide. En bas, les dépeceurs attendaient... On a retrouvé près de cent mille squelettes de chevaux au pied de la roche, et les fouilles ne cessent de mettre au jour de nouveaux témoignages d'une intense activité humaine.

Les amateurs de préhistoire visiteraient également la *grotte d'Azé,* plus au nord, où coule une rivière souterraine et où a été aménagé un toujours la propriété de la famille Carnot, est partiellement ouvert aux visiteurs. Ces derniers sont impressionnés par ses tours massives et son pont-levis, séduits par son aile Renaissance, intéressés par la salle des Gardes, la chambre du capitaine des gardes, la salle à manger et la cuisine. On visite aussi l'ancienne chapelle, la tour nord et le chemin de ronde.

Au pied du rocher, dans le vieux village de La Rochepot — qui s'appelait encore Nolay au début du siècle —, se dresse une intéressante église romane qui dépendait autrefois de l'abbaye de Flavigny. Ses chapiteaux sculptés, ses statues anciennes, son retable du XVIᵉ siècle, ses tapisseries au petit point et une sainte Catherine de la Renaissance italienne méritent que l'on s'y arrête. ■

▲ *En plein cœur de la Bourgogne, Beaune, ville d'art et cité du vin, est ceinturée de vignobles.*

Cuvaison et vieillissement

Après une cuvaison qui dure de quatre à douze jours selon que l'année est froide ou chaude, la fermentation du bourgogne se fait en barriques, dans des caves « chaudes ». Puis le vin est descendu en caves « fraîches », où il restera en fûts de dix-huit à trente-six mois, selon l'idée que le vigneron s'est fait de sa cuvée. Mis alors en bouteilles, il commencera un lent vieillissement.

Les mérites de ce dernier ne sont connus que depuis le milieu du XVIIIᵉ siècle, quand on s'avisa que la « longue garde » développait les qualités du bon vin et le rendait plus capiteux. Les côtes-de-Beaune sont à leur apogée au bout de six ans pour les petits millésimes, de huit ans pour les années normales et de douze ans pour les grandes années.

musée renfermant des collections préhistoriques et gallo-romaines.

Quant au pouilly-fuissé, on ne pense pas qu'il ait déjà arrosé les festins de nos aïeux des cavernes. Sa renommée, sur laquelle veille la joyeuse Confrérie des vignerons de Saint-Vincent, n'en est pas moins fort ancienne. Vin doré, paré de reflets d'émeraude, au bouquet original et très fin, il accompagne à merveille poissons et crustacés, et les années ne font que le rendre encore plus moelleux.

Des côtes qu'il fait bon aborder

C'est à *Montagny,* dont le vignoble ne produit aujourd'hui que du vin blanc, que nous aborderions la côte chalonnaise. Le site est charmant et, du haut du village, on aperçoit parfois, très très loin, la chaîne des Alpes. Puis ce serait *Buxy* et les premiers rouges des « bourgognes grand ordinaire », qui flattent le gosier sans grever le budget. À *Givry,* dont les vins rouges, assez corsés mais de finesse moyenne, plaisaient si fort à Henri IV, rien n'évoque plus le Béarnais : c'est une ville typiquement XVIIIᵉ siècle, dont les plus intéressants monuments classiques sont l'hôtel de ville, installé dans une ancienne porte monumentale, et une église à coupoles.

Un petit crochet vers l'est nous permettrait de visiter *Chalon-sur-Saône,* grand port fluvial et centre commercial important. C'est la patrie de Nicéphore Niepce, le père de la photographie, et le musée Denon, situé dans l'ancien couvent des Ursulines, contient, entre autres richesses, d'intéressants souvenirs de ce touche-à-tout de génie. Le vieux quartier de Saint-Vincent est pittoresque.

Reprenant la route des vins, nous arriverions à *Mercurey,* pays des premiers bourgognes vraiment grands, qui produit sans doute le meilleur rouge de la côte chalonnaise. Tout à côté de Mercurey, nous trouverions *Rully* et son château des XIIᵉ et XVᵉ siècles. Peu de vins rouges, ici, mais la finesse des vins blancs séduit au-delà de toute espérance l'amateur averti qui n'a pas les moyens de boire du meursault ou du montrachet à tous les repas. Les vignerons de Rully font aussi le meilleur bourgogne champagnisé.

Évitant *Chagny* et son animation, nous atteindrions *Santenay,* dont le paradoxe est d'offrir de grands vins rouges en même temps qu'une source thermale fort efficace contre la goutte. Le mal et son remède, en somme... Au pied de la falaise, l'église Saint-Jean, au porche roman et à la voûte gothique, recèle une statue de saint Martin vieille de quelque treize cents ans. Non loin de là, le mont de Sène, ou montagne des Trois-Croix, ne peut évidemment pas rivaliser avec les géants alpestres, mais la route qui l'escalade est néanmoins fort escarpée. Du sommet — couronné, comme vous l'avez deviné, de trois croix —, on découvre un immense panorama sur toute la Côte,

la vallée de la Saône, le Morvan et, plus loin, le Jura et les Alpes.

Nous serions ainsi passés, presque sans nous en apercevoir, de la côte chalonnaise à celle de Beaune. Ce faisant, nous aurions aussi changé de département et quitté la Saône-et-Loire pour la Côte-d'Or. Traversant *Saint-Aubin,* qui produit quelques bons premiers crus, de rouges comme de blancs, nous nous ménagerions une halte pieuse à *Chassagne-Montrachet,* dont les vins blancs, disait Alexandre Dumas, devraient être bus « à genoux et la tête découverte ». Si les blancs étaient la raison de notre voyage, il pourrait s'arrêter là. Nous avons ici, avec ceux de *Puligny-Montrachet* et de *Meursault* à moins d'une portée de fusil, les plus grands vins blancs secs du monde réunis dans un mouchoir de poche. Jugez-en : le vignoble du Montrachet couvre environ 7 ha, celui du Chevalier-Montrachet a la même superficie, et celui du Bâtard-Montrachet, un peu moins de 12 ha.

Perché sur la gauche, on aperçoit *Saint-Romain.* Son altitude un peu élevée (400 m) nuit légèrement (si peu...) à la réputation de ses vins blancs, mais nous prendrions beaucoup de plaisir à visiter cette petite ville médiévale, une des plus typiques de la Bourgogne, dominée par des falaises abruptes...

Cette partie, très accidentée, de l'arrière-côte de Beaune est une région particulièrement riche en sites pittoresques et en curiosités archéologiques. Après *Melin,* la route, qui suit une étroite vallée, commence à monter vers le château féodal de *La Rochepot.*

Après Meursault, blotti autour de son clocher gothique, voici *Auxey-Duresses,* dont l'excellente exposition au midi compense la situation relativement élevée. Avant la réglementation sur les appellations d'origine, ses vins rouges se vendaient sous le nom de « pommard » ou de « volnay ». Quant à ses vins blancs, ils sont parfois plus estimables que certains petits meursaults. L'église s'enorgueillit à juste titre d'un magnifique triptyque du XVIᵉ siècle.

Continuant vers Beaune, nous rencontrerions *Monthélie,* au sol si pauvre qu'un dicton assure « qu'une poule y meurt de faim pendant la moisson ». Son vignoble est peu étendu, mais il donne quelques premiers crus de très grande qualité.

Assis entre deux collines d'où l'on jouit d'un très beau panorama sur Meursault et Pommard, *Volnay* nous ferait ensuite entrer de plain-pied dans le domaine des plus grands bourgognes rouges. Ses vins se sont longtemps vendus plus chers que les pommards.

Pommard est à deux pas. Son nom, qui vient d'un ancien temple dédié à la déesse romaine Pomone, est universellement connu. Il sonne bien à l'oreille, ce qui est un avantage certain pour la diffusion de ses vins. Colorés, fermes, francs de goût, ceux-ci possèdent en outre l'avantage d'être de « longue garde », très « solides » et d'un transport facile, ce qui leur valut d'être, très tôt, vendus dans l'Europe entière.

Pour les côtes-de-Nuits, on comptera, de la même façon, huit, dix et quinze ans, et, pour les crus du Beaujolais, de deux à cinq ans. Quant aux beaujolais et beaujolais-villages, ils sont buvables moins de deux mois après la vendange, et il est préférable de consommer toute la récolte dans sa première année. ■

Les « Trois Glorieuses »

Chaque année, novembre voit le retour des « Trois Glorieuses », apogée de la « saison » vinicole de la côte de Beaune. Le troisième samedi du mois, se déroule, au château du Clos de Vougeot, le plus grand « chapitre » annuel de la Confrérie des chevaliers du Tastevin, et la « disnée » qui le suit revêt une magnificence exceptionnelle. Les heureux participants ont retenu leur place plusieurs mois à l'avance.

Le dimanche matin, une foule de curieux, d'amateurs, d'acheteurs, certains étant venus de fort loin, envahissent la cour d'honneur de l'hôtel-Dieu de Beaune, décorée pour l'occasion de tapisseries flamandes, et vont de barrique en barrique pour goûter les produits de la récente récolte, qui vont être vendus aux enchères. Celles-ci se déroulent l'après-midi dans l'immense cuverie. Jusqu'à l'heure du dîner, sans le moindre entracte, sont dispersés les produits du vignoble appartenant aux célèbres Hospices de Beaune. Ces enchères sont suivies avec la plus extrême attention par tous les professionnels du vin, car c'est d'elles que dépendent plus ou moins les prix de la récolte de l'année.

▲ *Devant les tapisseries flamandes de l'hôtel-Dieu, vente aux enchères des vins des Hospices de Beaune.*

Joyau de l'art burgondo-flamand, l'hôtel-Dieu de Beaune héberge malades et indigents
▼ *depuis le XVe siècle.*

Un des plus vieux hôpitaux du monde

Enfin, nous arriverions à *Beaune,* et l'abondance des marchands de souvenirs suffirait à nous convaincre, s'il en était besoin, que nous sommes dans une ville d'art. Le joyau de celle-ci est le célèbre hôtel-Dieu, chef-d'œuvre de l'art burgondo-flamand, mais surtout miracle de continuité. Fondé en 1443 par Nicolas Rolin, chancelier des ducs de Bourgogne, l'hôtel-Dieu fut doté d'une charte et d'une rente qui devaient lui permettre d'assurer en toute indépendance sa double fonction d'hospice et de centre hospitalier. Par la suite, des dons et une saine gestion lui permirent de se constituer un domaine agricole de 800 ha, dont 52 plantés de vigne. Ceux-ci produisent quelques-uns des plus grands vins du monde, et c'est de la vente de ces vins que l'hôtel-Dieu tire l'essentiel des ressources qui lui permettent non seulement de fonctionner sans faire appel à la charité publique, mais de se moderniser. (À côté des anciens bâtiments se dresse maintenant un hôpital doté de tous les perfectionnements de la technique.) Connus sous le nom de « grands vins des Hospices de Beaune » depuis que l'hôtel-Dieu a fusionné avec l'hospice de la Charité (1645), ces vins sont vendus aux enchères une fois par an, le troisième dimanche de novembre, au cours de ce que l'on a appelé « la plus grande vente de charité du monde ».

Depuis plus de cinq siècles, l'hôtel-Dieu n'a pratiquement pas changé. Un ordre de religieuses hospitalières, créé pour la circonstance, remplit toujours ses fonctions. Si, depuis 1971, les malades ne sont plus installés dans la grande salle, ou chambre des pauvres — 72 m de long, 16 m de haut, une charpente polychrome magnifique en berceau brisé, et vingt-huit lits à colonnes alignés face à la chapelle, pour que leurs occupants puissent suivre les offices sans avoir à se lever —, les repas de l'hospice de vieillards sont toujours préparés dans la cuisine médiévale, luisante de propreté et scintillant de tous ses ustensiles de cuivre.

Après la façade extérieure, d'une élégance un peu austère avec sa haute toiture d'ardoise, surmontée d'une dentelle si fine qu'on ne la croirait jamais coulée dans le plomb, après la porte aux lourds vantaux de chêne et le passage couvert qui traverse le bâtiment de la grande salle, on est séduit par le charme de la cour d'honneur, de ses toits de tuiles vernissées, de ses lucarnes ouvragées, de ses galeries de bois et de son vieux puits de fer forgé. La pharmacie abrite une très belle collection de vases d'étain, de mortiers de bronze et de faïences de Nevers, mais surtout il faut admirer, dans une nouvelle salle spécialement aménagée pour lui, entouré de magnifiques tapisseries, le célèbre polyptyque du *Jugement dernier,* de Van der Weyden, l'un des chefs-d'œuvre du XVe siècle.

Beaune offre beaucoup d'autres sujets d'intérêt, notamment ses vieilles demeures, dont certaines sont contemporaines de l'hôtel-Dieu. Le tour des remparts, enfouis sous la verdure et d'où se dégagent, çà et là, quelques bastions, est une promenade agréable. Les négociants en vins, aristocratie bourgeoise de la ville, ne se cachent pas, comme à Bordeaux, derrière de hauts murs et des volets clos : ils ont pignon sur rue, et certains occupent d'anciens bâtiments conventuels datant du XVIIe siècle, dont la beauté architecturale est soigneusement mise en valeur dans la publicité. Le musée du Vin de Bourgogne, dont les collections retracent toute l'histoire du vin et du vignoble, occupe le cadre prestigieux de l'ancien hôtel des ducs de Bourgogne. Sa cuverie date du XIVe siècle, et l'ensemble des bâtiments, des XVe et XVIe siècles.

Et, le lundi, c'est la « paulée » de Meursault. La « paulée » était autrefois le grand repas qui, les vendanges terminées, réunissait à la même table, chez chaque viticulteur, sans hiérarchie aucune, patrons et ouvriers agricoles. En 1925, le comte Lafon, propriétaire à Meursault, eut le premier l'idée de regrouper en une seule toutes les « paulées » du village. Cette « Troisième Glorieuse » est devenue aujourd'hui plus académique, puisque les vignerons y récompensent solennellement (de cent bouteilles de meursault) l'auteur d'un livre sur la terre et les paysans. Mais elle est toujours aussi joyeuse et, si l'on y boit peut-être encore plus qu'aux deux premières, cela tient à une particularité sympathique : chaque convive apporte ses bouteilles, et chacun veut rivaliser de générosité...

▲ *Dans les rues pavoisées d'Auxey-Duresses, la fête de saint Vincent, patron des vignerons.*

Celui qui est assez robuste pour assister à toutes les festivités des « Trois Glorieuses » en repart, dit-on, « frais, gaillard, le teint fleuri, et de l'allégresse plein le cœur ».

Comme les Trois Mousquetaires, les « Trois Glorieuses » étaient, à l'origine, quatre, la quatrième étant le « repas du cochon » de la Saint-Vincent (22 janvier). Depuis, la Confrérie des chevaliers du Tastevin a donné un plus grand lustre à la fête du saint patron des vignerons. Cette fête, appelée Saint-Vincent « tournante » parce qu'elle se déroule chaque année dans une commune différente, comporte désormais une messe et une procession, au cours de laquelle la statue du saint est portée solennellement à travers les rues par les chevaliers en grand costume. On la célèbre le samedi le plus proche du 22 janvier. ■

L'église Saint-Nicolas, dans le quartier des vignerons, possède une belle tour romane et un porche du XVe abritant un portail du XIIe siècle. Quant à l'ancienne collégiale Notre-Dame, basilique depuis 1958, c'est l'un des plus beaux fleurons de l'art roman bourguignon. Le chœur est orné de cinq remarquables tapisseries du XVe siècle, longues de 6 m chacune, qui retracent la vie de la Vierge Marie, et une fresque de la même époque montre la résurrection de Lazare.

Le plus célèbre de tous les vignobles

Reprenant notre bâton de pèlerin, nous aborderions enfin la côte de Nuits, pour terminer notre voyage en apothéose. Mais, après tout, pourquoi parler de ce voyage au conditionnel? Chacun peut le faire aujourd'hui, demain, n'importe quand : que ce soit en hiver, où les ceps sont secs et noirs, mais les caves pleines, à la fin du printemps, où la vigne est vert tendre, ou à la floraison, qui ne dure que quelques jours. De quelle couleur, la fleur de vigne? « Blanc sombre », disait Colette. Aux vendanges, nous pourrons participer, au moins en esprit, au travail des Bourguignons et, à la fin d'octobre, être là quand le vignoble s'empourprera.

Mais voici d'abord les derniers villages de la côte de Beaune : *Savigny-lès-Beaune* et son château du XIVe siècle, très imposant avec ses douves, où l'on produit des rouges légers et bouquetés, puis *Aloxe-Corton* (prononcer : Alosse), un des plus grands noms de la Côte. Charlemagne, dit-on, y possédait des vignes, et le corton « Charlemagne », astre de première grandeur au firmament des vins blancs, rappelle ce souvenir historique. On produit cependant surtout des rouges, « les plus fermes et les plus francs » de la côte de Beaune, qui annoncent déjà les vins de Nuits.

En pénétrant dans le territoire de la côte de Nuits, nos premiers regards ne sont pas pour le vignoble, mais pour les carrières de *Comblanchien*. On en extrait l'une des plus belles pierres de taille de France. Avec le temps, elle prend le poli du marbre, et on l'utilise comme revêtement pour les immeubles de luxe, afin de masquer la nudité du béton.

Et voici *Nuits-Saint-Georges*, à côté de laquelle, au lieu-dit « Les Bolards », on a découvert les vestiges d'une cité antique. On visite les fouilles et le musée, installé dans la tour du Beffroi. La ville, contrairement à Beaune, a perdu sa ceinture de murailles, mais elle a conservé ses vieilles échoppes et ses maisons anciennes, et elle est restée le centre d'un important commerce de vins. La célébrité de ceux-ci remonte à Louis XIV, auquel Fagon, son médecin, avait ordonné de boire chaque jour du vin de Nuits.

Et notre ascension continue dans la hiérarchie des vins. *Vosne-*

Vieilles maisons au charme désuet : un des principaux attraits
▼ *de Dijon (place François-Rude).*

Romanée! C'est, selon l'expression bourguignonne, « la perle du milieu ». Ici se récoltent, de l'avis de certains, les cinq plus grands bourgognes rouges : Romanée, Romanée-Conti, la Tâche, Richebourg et Romanée-Saint-Vivant, 26 ha en tout pour les cinq! Leur réputation est universelle et fort ancienne. D'ailleurs, le nom de « Romanée » atteste l'intervention des Romains. Quel fut leur rôle? Les avis sont partagés. Selon certains, le premier propriétaire de ce vignoble aurait été un nommé Probus.

À partir de Vosne-Romanée, nous sommes vraiment au paradis du vin. Et nous ne savons plus où porter notre admiration. *Vougeot* et son clos fabuleux, *Chambolle-Musigny*, qui suffirait à lui seul à faire la renommée d'un terroir, *Morey-Saint-Denis*, *Gevrey-Chambertin* et

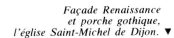

▲ Le «puits de Moïse»
de Claus Sluter, chef de file
de l'école burgondo-flamande.
(Chartreuse de Champmol.)

▲ Symbole d'une dynastie fastueuse,
le tombeau de Jean sans Peur
et de Marguerite de Bavière.
(Dijon : musée des Beaux-Arts.)

Façade Renaissance
et porche gothique,
l'église Saint-Michel de Dijon. ▼

Le sens de la fête

Le Bourguignon, bien que relativement septentrional, possède un sens de la fête presque aussi vif que celui des Latins. Chaque occasion lui est bonne pour chanter, danser et vider une bonne bouteille, car bien sûr on ne conçoit pas, en Bourgogne, une réjouissance où le vin serait absent. Outre les « Trois Glorieuses » et la Saint-Vincent « tournante », entre autres manifestations joyeuses, citons :
— le carnaval de Chalon-sur-Saône, dont les festivités commencent le dimanche qui précède le mardi gras et se terminent le dimanche qui le suit;
— dans la deuxième quinzaine de mai, la Foire nationale des vins de France, à Mâcon;
— le jeudi qui suit la Fête-Dieu, la

⟶

son château médiéval, dans les caves duquel on déguste le vin préféré de Napoléon... *Fixin*, dernier village de la côte de Nuits et producteur de grands vins rouges, contient un curieux parc-musée, créé à la gloire de Napoléon par un ancien capitaine de la garde, Noisot. Il est dominé par un monument dû au ciseau du sculpteur Rude, natif de Dijon et grand admirateur de l'Empereur.

Une capitale provinciale

Pendant plus de quatre siècles, de 1015 à 1477, *Dijon* fut la capitale du duché de Bourgogne, qui rivalisait de puissance et de faste avec le royaume de France. Ancien *castrum* gallo-romain, la ville avait commencé par être une place forte ceinturée de remparts. En 1137, un gigantesque incendie la détruisit, et le duc autorisa les habitants à utiliser les pierres des fortifications pour rebâtir leurs maisons. Cela permit à la cité de s'agrandir, mais ce fut surtout à partir de 1369, date du mariage de Philippe le Hardi, premier duc de la dynastie des Valois, avec Marguerite de Flandre, qu'elle devint une véritable métropole, dont le rayonnement s'étendit sur toute l'Europe.

Cette brillante période dura un peu plus de cent ans. Possédant, en plus de la Bourgogne, la Franche-Comté et surtout la Flandre, inépuisable source de richesses, le duché était plus puissant que le royaume, et l'on ne peut pas s'étonner que les ducs aient cherché à s'emparer de la couronne. Avec l'aide des Anglais, ils y seraient probablement parvenus si Jeanne d'Arc ne s'en était mêlée. Le dernier des « grands ducs d'Occident », Charles le Téméraire, méritait bien son surnom. Toujours guerroyant, il finit par se faire tuer au siège de Nancy, et Louis XI en profita pour rattacher le duché de Bourgogne à la Couronne.

Dijon n'était plus capitale, mais elle restait une ville importante, siège d'un parlement et d'une chambre des comptes. Elle s'embourgeoisa, et le luxe des hôtels particuliers de l'époque montre l'opulence de ses notables. Mais c'est seulement à partir de 1850, avec l'apparition du chemin de fer, que Dijon, devenue un nœud de communications important, acquit son développement actuel.

Des trésors de son glorieux passé, Dijon ne conserve malheureusement pas grand-chose. Tous les monuments antérieurs à 1137 ont été détruits par le grand incendie. L'ancien palais des ducs, modifié, transformé, reconstruit, est dans l'ensemble de style classique. Cependant, on peut encore admirer la tour de Philippe le Bon, haute de 46 m, dont la terrasse offre, à ceux que 316 marches n'effraient pas, un beau panorama de la ville et de ses environs. La tour de Bar, qui date du XIVᵉ siècle, servit de prison à René d'Anjou, duc de Bar et de Lorraine.

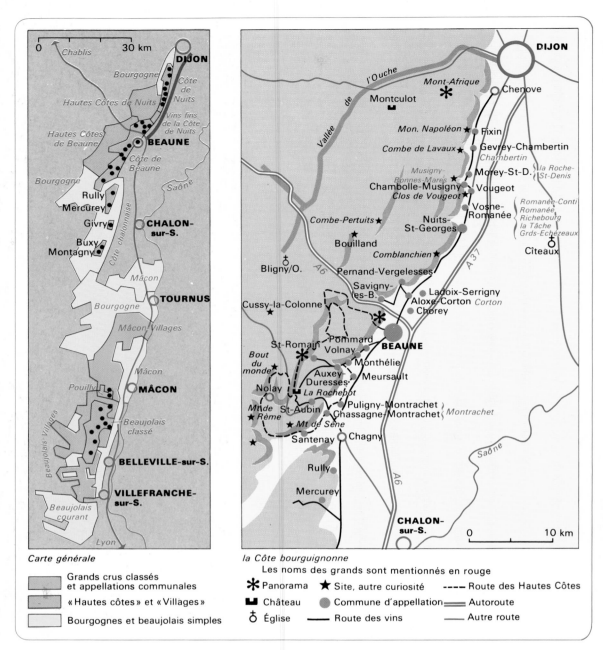

Carte générale

Grands crus classés
et appellations communales

«Hautes côtes» et «Villages»

Bourgognes et beaujolais simples

la Côte bourguignonne
Les noms des grands sont mentionnés en rouge

✳ Panorama ★ Site, autre curiosité ---- Route des Hautes Côtes
🏰 Château ⬤ Commune d'appellation Autoroute
⚲ Église Route des vins Autre route

procession costumée dans la cour décorée de l'hôtel-Dieu de Beaune;
— le dimanche le plus proche du 24 juin, à Brancion, les «feux celtiques» de la Saint-Jean;
— fin juin, à Mâcon, les championnats d'Europe d'aviron;
— le premier week-end de septembre, à Dijon, les jeux d'Automne et la fête de la Vigne;
— la première quinzaine de novembre, toujours à Dijon, la foire gastronomique, prétexte à nombreuses manifestations folkloriques;
— le quatrième dimanche de novembre, à Chablis, la foire-exposition des vins de Chablis;
— et enfin, le 24 décembre, à Brancion, le noël des vins : messe de minuit, chants du Mâconnais et illuminations.

Ajoutons que la Bourgogne jouit d'une animation culturelle de qualité durant tout l'été : manifestations théâtrales, chorégraphiques, musicales, expositions, etc. ∎

Le jaquemart de Notre-Dame,
▼ *sa «femme» et ses «enfants».*

Une partie du palais est occupée par le musée des Beaux-Arts, qui abrite de remarquables collections de sculpture et de peinture. Son cadre n'est pas moins intéressant, en particulier l'ancienne cuisine ducale — dont les proportions et l'aménagement, avec ses six énormes foyers et sa cheminée d'aération centrale, donnent une idée des agapes que l'on y préparait — et, surtout, la salle des Gardes, édifiée sous le règne de Philippe le Bon. Dans cette dernière se trouvent les magnifiques tombeaux de Philippe le Hardi et de Jean sans Peur, provenant de la chartreuse de Champmol.

La chartreuse de Champmol elle-même, édifiée à la fin du XIVᵉ siècle par Philippe le Hardi pour servir de nécropole à sa dynastie, fut rasée pendant la Révolution, et un hôpital occupe aujourd'hui son emplacement. Des anciens bâtiments il ne reste que deux vestiges, mais ce sont deux chefs-d'œuvre, dus au ciseau d'un sculpteur génial, d'origine hollandaise, Claus Sluter. Sur le portail de l'église, miraculeusement épargné, une Vierge à l'Enfant est entourée de Philippe le Hardi, de son épouse et de leurs saints patrons. Le «puits de Moïse», qui servait de socle à un calvaire ornant le bassin du cloître, est décoré de six grandes statues de prophètes (dont celle de Moïse), autrefois polychromes.

Plusieurs églises dijonnaises méritent une visite. Notre-Dame date du XIIIᵉ siècle. Son originale façade gothique est ornée de deux tourelles, dont l'une porte une amusante horloge à jaquemarts,

rapportée de Flandre par Philippe le Hardi. Cette horloge ne comportait initialement qu'un seul personnage, de sexe masculin, mais les Dijonnais, qui sont sentimentaux, ont successivement doté celui-ci d'une épouse, d'un fils et d'une fille.

La cathédrale Saint-Bénigne, également gothique, possède une intéressante crypte du Xᵉ siècle, ouvrant sur une chapelle du VIᵉ siècle. Quant à l'église Saint-Michel, elle fut commencée dans le style gothique flamboyant et terminée dans le style Renaissance. Sa façade présente un mélange très original de ces deux tendances, avec son porche traditionnel à trois portails historiés, surmonté de deux demi-tours beaucoup plus sobres.

Les maisons anciennes, souvent très cossues, sont un des principaux attraits de Dijon. Les plus connues sont les hôtels de Vogüé, Liégeart et Fyot-de-Mimeure, mais on en découvrira bien d'autres en flânant dans la rue des Forges et dans les rues Vannerie, Verrerie et Chaudronnerie.

Enfin, des jardins fleuris, tels le jardin de l'Arquebuse et le parc de la Colombière aux frais ombrages, et un magnifique plan d'eau contribuent à rendre accueillante cette ville gastronomique qui, non contente d'être la capitale de la moutarde, du cassis et du pain d'épice, offre à ses hôtes les quelque cent quarante spécialités culinaires qui, avec ses vins prestigieux, font de la Bourgogne un pays béni des dieux.

châteaux et places fortes
en Bourgogne

*Le Moyen Âge fut pour la Bourgogne
une époque de gloire et de troubles.
Ses ducs guerroyaient
par monts et par vaux,
les rois de France cherchaient à l'annexer,
soldats de fortune et bandits de grand chemin
sillonnaient ses routes.
Aussi seigneurs et bourgeois
se barricadèrent-ils derrière de solides remparts,
les premiers dans des châteaux forts,
les seconds dans des villes fortifiées.*

◄ *Construit par un cardinal
à l'emplacement d'un manoir féodal,
le château Renaissance
de Thoisy-la-Berchère.*

*Flavigny-sur-Ozerain :
la porte fortifiée du Val,
désormais ouverte
à tous les visiteurs.* ▼

◄ *La Porte-Peinte,
souvenir de l'époque
où Noyers était
une ville forte.*

The
BURGUNDIAN
STATE
in 1475

Friesland
1433

ENGLAND

Holland
1433

Utrecht
1455

Flanders
1384

Guelders
1473

Brabant
1430

Limburg
1430

Meuse

Liège

Artois
1475

Namur
1429

THE EMPIRE

Vermandois
1435

Luxemburg
1431

50°

Hainault
1433

Bouillon

Rhine

—50°

Seine

Réthel
1384

Verdun

Metz

Nancy

Lorraine
1475

Bar
1475

Toul

Danube

FRANCE

Duchy of
Burgundy

Franche
Comté

Morat

Granson

0   50   100   150
              MILES

5°

Burgundian territory

Areas under Burgundian protection

Boundary between France and the Empire

© RMCN & CO.

Châteaux en Bourgogne. 3

▲ *La forteresse en trapèze de Bazoches*
surveille, depuis huit siècles,
la plaine de Vézelay.

4. Châteaux en Bourgogne

Tout solides qu'ils fussent,
peu de châteaux bourguignons
nous sont parvenus
dans leur état primitif.
Quelques-uns ont conservé
leur aspect féodal,
mais la plupart ont été modifiés
par leurs propriétaires successifs.
Embellis, remaniés,
ils reflètent à la fois
l'évolution des mœurs
et les caprices de la mode.

*L'architecte qui édifia ▶
les tours massives de Saint-Fargeau
n'avait sûrement pas prévu
qu'elles seraient un jour coiffées
de gracieux lanternons.*

Faisant passer le confort
et le plaisir des yeux
avant les impératifs de la défense,
un nouvel art de vivre
abattit les hautes murailles
qui transformaient les cours intérieures
en sombres prisons,
et les façades s'ouvrirent largement
à la lumière.

◀ *Avec ses murs aveugles
et ses tours ventrues,
Posanges a tout d'une forteresse.*

Larges douves et tour trapue
rappellent que le classique
manoir de Commarin
fut d'abord un château fort.

À Saint-Seine-sur-Vingeanne, ▶
près de Fontaine-Française,
des tours médiévales encadrent
une façade du XVIIIᵉ siècle.

Mais on ne se contenta pas
de modifier, d'aménager.
Née sous le soleil de l'Italie,
la Renaissance amorça
une véritable révolution architecturale,
et l'époque classique
acheva d'égayer la Bourgogne
en y édifiant de souriantes demeures.

*Portique à colonnes
et hautes fenêtres,
la façade classique
du château de Drée,
près de La Clayette.*

C'est Serlio, ▶
*l'architecte de Fontainebleau,
qui bâtit Ancy-le-Franc
et lui donna son aspect
de palais italien.*

*Plus décoratives que défensives,
les douves de Tanlay
forment de jolis plans d'eau.* ▼

Grâce à un libertin du Grand Siècle, ▶
*la forteresse féodale de Bussy-Rabutin
est devenue une luxueuse résidence.*

▲ *Les vieux murs*
du château fort de Ratilly
abritent un centre
artisanal de poterie.

Vaste et multiforme, associant des régions aussi diverses que les coteaux souriants de l'Auxerrois et les paisibles plaines de l'Auxois, les forêts sombres du Morvan et les célèbres vignobles de la « Côte », la Bourgogne, trop proche de Paris pour que l'on y passe les mois d'été, trop éloignée pour qu'un week-end suffise à s'y aventurer, est, pour une grande part, encore ignorée. On connaît quelques-uns de ses monuments clefs, on la traverse pour gagner la Suisse ou les plages méditerranéennes, mais on ne s'y arrête pas. Terre de très ancienne civilisation, tour à tour royaume, comté, duché au gré des luttes dynastiques et des héritages, rivale, pendant des siècles, de la couronne de France, à laquelle sa puissance portait ombrage, la Bourgogne de Philippe le Bon et de Charles le Téméraire ne souffre-t-elle pas un peu, aujourd'hui, de n'être plus qu'une contrée de transition?

Il est vrai que son entité est beaucoup plus historique que géographique. À notre époque de régionalisation, la Nièvre tend vers les Pays de la Loire, tandis que l'Yonne incline naturellement vers la Région parisienne, et la Saône-et-Loire vers Lyon. Quant à Dijon — la métropole —, forte du patrimoine que lui léguèrent les grands-ducs d'Occident, elle a tendance à se considérer comme incarnant à elle seule toute la Bourgogne, alors que son rayonnement ne couvre même pas la totalité de la Côte-d'Or.

L'architecture des innombrables châteaux qui parsèment les quatre départements bourguignons reflète cette variété. Châteaux forts? Beaucoup l'ont été en des époques troublées, mais peu le sont restés lorsque le besoin d'assurer sa sécurité fit place à l'art de vivre. À la fin du Moyen Âge, la Renaissance abattit les remparts, rasa les créneaux, ouvrit sur l'extérieur les cours fermées, perça tours et courtines de larges fenêtres. Si l'on trouve encore, en Bourgogne, de farouches forteresses qui n'ont rien perdu de leur austérité médiévale, les souvenirs d'un passé guerrier sont souvent mêlés à des bâtiments plus récents et plus amènes. Enfin, influencées par le palais de l'Île-de-France et les hôtels du faubourg Saint-Germain, les nobles familles bourguignonnes se firent construire, jusqu'à la Révolution, de somptueuses résidences classiques, où l'on chercherait en vain échauguettes et mâchicoulis, et de riantes demeures s'élèvent non loin de petites places fortes encore blotties derrière les murailles de leur enceinte.

Tous ces châteaux, il faut aller à leur rencontre. Ils ne jalonnent pas, comme ceux de la Loire, les voies naturelles que constituent un grand fleuve et ses affluents; ils ne couronnent pas, comme les nids d'aigle alsaciens, tous les pitons d'une barrière montagneuse. Fermes fortifiées, gentilhommières, forteresses ou palais, les châteaux bourguignons sont éparpillés dans des régions que traversent peu de grands axes naturels, et c'est en flânant dans la campagne que l'on découvre un par un, nichés dans la verdure, souvent à l'écart des routes nationales, ces châteaux-hobereaux, témoins de six ou sept siècles d'histoire.

De par l'Auxois

Au cœur même de la Bourgogne s'étendent les douces plaines de l'Auxois, pays de bocage, coupé de rivières, jalonné de hauteurs que couronnent des ruines féodales, mais surtout voie de passage entre le massif du Morvan et les plateaux de la Côte-d'Or. Comme la région tout entière, c'est un pays de contrastes où alternent plaisantes demeures et sévères châteaux forts.

La capitale, *Semur-en-Auxois,* est une ancienne place forte, bâtie sur un promontoire abrupt, cerné par un méandre profond de l'Armançon. Des remparts, dont il reste une bonne partie, complétaient cette défense naturelle, et un château carré du XIIᵉ siècle, baptisé « le Donjon », barrait la seule issue : ses quatre grosses tours d'angle sont toujours là, rondes, massives, chapeautées de tuiles rouges. Avec la flèche de 58 m de l'église Notre-Dame — célèbre pour sa nef de pur style ogival, son portail sculpté dit « porte des Bleds », son riche mobilier —, elles dominent la vallée, la vieille porte Sauvigny et le lacis des rues et des ruelles d'une petite ville de province dont Balzac aurait pu faire son « Saché », Proust son « Combray » : derrière chaque volet, chaque devanture, il est toujours quelque regard pour épier l'« étranger » de passage.

À 10 km à l'ouest de la ville, au bout de grandes prairies clôturées de haies sombres, *Époisses,* productrice d'un fromage réputé, possède un vaste château qui a remplacé, au XVIᵉ siècle, une forteresse féodale. C'était une véritable ville close, entourée d'une double enceinte fortifiée. La Révolution l'a durement éprouvée. Il reste une aile en demi-cercle, dans laquelle on visite surtout la chambre de Mᵐᵉ de Sévigné (qui s'arrêtait volontiers dans cette maison, « d'une grandeur et d'une beauté surprenantes », en se rendant dans sa propriété voisine de *Bourbilly,* belle demeure du XIIIᵉ siècle, pleine de souvenirs, mais un peu trop restaurée au XIXᵉ). Dans le parc d'Époisses, les communs, la chapelle du château primitif (XIIᵉ s.), devenue église paroissiale, et un énorme colombier, où nichaient 3 000 couples de pigeons, constituent un ensemble original, plein de charme.

À l'est de Semur, au-delà de l'élégant château du XVIIIᵉ siècle de *Lantilly* et du manoir rustique de *Villiers* (près de Pouillenay), dont il est séparé par les 407 m du mont Auxois, un palais de pierre dorée se dresse à flanc de coteau, parmi les arbres : *Bussy-Rabutin.* De son passé de forteresse médiévale, il a conservé son plan rectangulaire et

Jérusalem en Bourgogne

Si Bussy-Rabutin fut une retraite forcée, c'est volontairement que des hommes se retirèrent dans le bourg voisin de *Flavigny-sur-Ozerain*, haut lieu bénédictin clos sur lui-même, niché, à 425 m d'altitude, sur un éperon entouré de trois vallées, et si bien préservé que Chateaubriand pourrait encore écrire aujourd'hui : « Je devrai au val de Flavigny un de mes plus émouvants souvenirs : c'est l'aspect de la vallée de Jérusalem; voilà bien le Cédron baignant les pieds de la Ville Sainte. Ces vieilles fortifications ne rappellent-elles pas d'elles-mêmes les remparts désolés du temple? Et ces bouquets d'arbres au feuillage vigoureux, ne sont-ce pas les ombrages austères de la Montagne des Oliviers? »

▲ *Une des antiques demeures de Flavigny-sur-Ozerain : la maison de la Poterne, ancien couvent de visitandines.*

Car, si la cité de Flavigny a perdu son abbaye, vendue comme bien national et dépecée après la Révolution, elle a conservé le tracé et l'unité de ses rues du haut Moyen Âge, une bonne partie de ses remparts, trois de ses portes fortifiées (porte du Bourg et double porte du Val), sa poterne et plusieurs édifices de premier ordre. L'église gothique Saint-Genest — remarquable par ses tribunes, son jubé, ses stalles et son fameux *Ange de l'Annonciation*, chef-d'œuvre de la statuaire du XVᵉ siècle — domine Flavigny. Devant elle, une rue étroite relie le haut et le bas du village. Elle longe d'abord la « maison de la Louve » — un des rares échantillons qui nous soient parvenus de l'architecture civile du XIIIᵉ siècle —, puis la façade d'une noble maison d'époque Louis XII —

À l'abri d'une double enceinte, l'énorme château d'Époisses constitua, jusqu'à la Révolution, ▼ *une véritable petite ville close.*

ses quatre grosses tours d'angle. Sous François Iᵉʳ, l'un des côtés du rectangle fut abattu pour ouvrir la cour sur le parc, les tours furent percées de fenêtres, et toutes les grâces de la Renaissance s'épanouirent en arcades et en frises sculptées sur les ailes. La magnifique façade principale, enrichie de frontons, de pilastres, de niches et de lucarnes, fut reconstruite en 1649 par un seigneur désinvolte, galant et, pour son malheur, homme de plume : Roger de Rabutin, comte de Bussy (1618-1693). Ses vertus militaires auraient pu faire oublier ses frasques, mais le démon de la littérature le perdit. En 1665, la publication de son *Histoire amoureuse des Gaules,* chronique scandaleuse de la cour de Louis XIV, lui valut d'être embastillé, puis exilé dans ses terres. Seize années durant, Rabutin eut ainsi tout loisir

d'aménager Bussy et d'y rassembler, sous forme de portraits (des copies, pour la plupart) et d'allégories, accompagnés de devises, de distiques ou de quatrains, une véritable galerie satirique de ses contemporains. La chambre du comte abrite les effigies de vingt-six femmes célèbres, dont toutes les maîtresses de Louis XIV; la tour Dorée, celles des plus jolies femmes de la Cour; la galerie-bibliothèque, celles des rois de France et des ancêtres du maître de maison. La tour sud, pourtant ronde comme les trois autres, renferme une chapelle carrée.

Non loin de là, à *Frôlois,* une maison forte du XVIIᵉ siècle, bâtie sur un à-pic, au-dessus d'un vallon souriant, a su conserver jusqu'à nos jours son harmonie simple et chaleureuse, tandis qu'à *Jours-lès-*

classée monument historique et, depuis un demi-siècle, à l'abandon! —, encadrée de plusieurs demeures à tourelle du XVe siècle, dont deux viennent d'être restaurées par les soins diligents de la Société des amis de Flavigny.

Si l'abbaye Saint-Pierre a disparu, les bâtiments conventuels du XVIIIe siècle qui la flanquaient ont subsisté, et une partie importante des anciennes cryptes carolingiennes a été mise au jour et restaurée.

Il n'est pas de ruelle, en ce village, qui ne propose la surprise d'une fenêtre trilobée, d'une porte à écusson, d'une façade harmonieuse en son humilité. Du porche noble de l'abbatiale, édifiée au XVIIIe siècle, on descend jusqu'à la « maison Lacordaire » (ancienne demeure des baillis de l'Auxois), dont plusieurs ouvertures remontent au XIIIe siècle.

▲ *Décorée de portraits d'hommes éminents et des « plus belles femmes de la Cour », la tour Dorée de Bussy-Rabutin.*

À proximité, on découvre une façade de grange édifiée au temps de Saint Louis. Sur le versant oriental du pays, le vallon de Verpan est dominé par les jardins en terrasses — attribués à Le Nôtre — de l'hôtel Couthier de Soubey, édifié en 1700. De là, on découvre l'un des plus beaux paysages de forêts, de vallons et de prés qui se puissent voir en Bourgogne.

Plus qu'un village et moins qu'une ville, Flavigny doit à son isolement, à son caractère de terre druidique — un peu mystérieuse et sacrée — et à la présence d'une population autochtone de rudes villageois de s'être prémunie contre les abus d'un certain tourisme et d'avoir conservé, au-delà même de ses pierres, souvent mutilées par les siècles, son intransigeante authenticité et son charme profond. ■

Baigneux, plus au nord, un chef-d'œuvre de la Renaissance revient de loin. En 1962, lorsque la ville de Dijon hérita de ses murs délabrés, les plafonds à caissons et les stucs fragiles abritaient... un poulailler. Le chanoine Kir, alors maire de Dijon, ayant décidé de transporter l'édifice, pierre par pierre, sur la rive du lac artificiel qu'il aménageait aux abords de la ville, la donation fut annulée. Une campagne de presse, des subventions publiques et le bon vouloir d'un particulier sauvèrent le château. L'intérieur n'est pas encore en état d'être visité, mais on peut déjà admirer les façades, où la fantaisie italienne se mêle harmonieusement à la rigueur française.

Au sud de Semur, alors que *Précy-sous-Thil* est dominé par les ruines d'une puissante forteresse féodale, le château de *La Roche-en-Brenil,* où vécut Montalembert, n'a conservé du XVe siècle que ses douves et une tour carrée; *Lacour-d'Arcenay* est une de ces charmantes gentilhommières qui expriment si bien le génie bourguignon, tandis que le manoir de *Posanges,* reconstruit au milieu du XVe siècle, a un aspect résolument médiéval, avec ses tours massives, percées de rares ouvertures, et ses murailles aveugles, encadrant une cour invisible (on ne visite pas).

Plus au sud, *Missery* est une ravissante demeure qui — dit-on — appartint à la comtesse du Barry; avec leurs frontons, leurs hautes fenêtres et leurs jolies lucarnes, ses belles façades, qui se mirent dans des douves, s'accommodent fort bien d'un encadrement de tours rondes. Tout près de là, le vieux bourg fortifié de *Mont-Saint-Jean,* perché au sommet d'une butte, est dominé par le donjon à pans coupés, flanqué de grosses tours demi-cylindriques, de son château ruiné, alors qu'à *Thoisy-la-Berchère,* le manoir féodal, reconstruit au XVe siècle et très restauré au XIXe, a fière allure.

Résidence de charme encore, *Commarin,* où, aux deux tours d'angle d'une ancienne forteresse, s'adossent un corps central — percé de hautes fenêtres et couronné d'un fronton arrondi — et deux ailes datant du XVIIe et du XVIIIe siècle. Merveilleux mariage des époques, auquel répond, de l'autre côté, une façade plus classique, dont les fondations baignent dans les eaux dormantes d'une vaste pièce d'eau. Poésie parfaite, noyée dans les grands arbres du parc et assortie d'un intérieur vivant, superbement meublé, où dominent une étonnante tapisserie d'armoiries du XVe siècle, un bel escalier Louis XIII et un précieux théâtre de musique, auquel ne manquent que les notes d'un ballet de Lully ou d'une cantate de Rameau, égrenées par quelque épinette, par quelque clavecin.

De l'autre côté du réservoir de Panthier, scintillant comme un lac de montagne, *Châteauneuf,* juché depuis le XIIe siècle au-dessus de la plaine immense que traverse aujourd'hui le canal de Bourgogne, est, en revanche, le château féodal par excellence : un repaire. Ses fossés profonds, ses hautes murailles, ses tours massives, son pont-levis, ses

étroites fenêtres ouvrant sur d'inaccessibles à-pics, et jusqu'au souvenir de Catherine de Châteauneuf, maîtresse du lieu, qui fut, en 1455, brûlée en place publique pour avoir empoisonné son mari, tout en lui est impressionnant. Dans la cour intérieure, close de toutes parts, des façades flamboyantes dissimulent de grandes salles médiévales, que les Affaires culturelles ont entrepris de meubler.

Châteauneuf apparaît comme le modèle achevé — et préservé — des places fortes qui, dans tout l'Auxois, commandaient vallons et collines. On ne saurait les énumérer toutes, mais c'est, en descendant vers le sud, le cas de *Chaudenay-le-Château,* où, dans un site pittoresque, subsistent trois tours et une superbe terrasse du XIIe siècle, et d'*Antigny-le-Château* — « plus ancienne baronnie de Bourgogne » —, dont les aménagements du XVIIe siècle voisinent avec une tour à mâchicoulis de l'époque féodale. Tout près de là, la vieille ville d'*Arnay-le-Duc,* bâtie sur un promontoire au-dessus de la vallée de l'Arroux, a conservé, adossé aux remparts, le château — dit

▲ *Sully : plan carré,*
tours d'angles plantées en biais,
un bel ensemble de la
Renaissance bourguignonne.

Sur la trace des Gaulois

L'emplacement d'Alésia, où, après un siège mémorable, Jules César vint à bout, en l'an 52 av. J.-C., de l'opiniâtre résistance gauloise, fut longtemps contesté. Fallait-il la situer à Alaise, dans le Doubs, ou à *Alise-Sainte-Reine,* dans la Côte-d'Or? Pour trancher la question, Napoléon III décida, en 1862, de faire effectuer des fouilles au sommet du mont Auxois. Les vestiges qu'elles mirent au jour semblèrent si probants que, en 1865, une colossale statue de Vercingétorix vint proclamer que c'était bien là que le héros malheureux avait dû capituler après six semaines de lutte héroïque.

Les fouilles n'ont rien de spectaculaire, sinon pour les spécialistes. Les bases de murs, les

⟶

Saisissante évocation du temps
où l'on vivait dangereusement,
▼ *l'austère forteresse de Châteauneuf.*

« manoir de Sully » — où dormit le futur Henri IV, alors âgé de seize ans, au soir d'une bataille qui vit le triomphe des protestants de Coligny sur les catholiques, deux fois plus nombreux, du maréchal de Cossé-Brissac (1570).

Au sud du Morvan, les châteaux de Saône-et-Loire

Un pas de plus vers le sud et l'on entre en Saône-et-Loire, dans la région d'Autun, où les châteaux sont si nombreux et si variés que tout choix est inévitablement arbitraire.

Un édifice domine cependant tous les autres : le majestueux château Renaissance de *Sully,* auquel un vallon boisé, un vaste parc et de nombreux communs composent un cadre à sa mesure. Mᵐᵉ de Sévigné voyait en lui le « Fontainebleau de Bourgogne », et l'on ne peut s'empêcher d'être, comme elle, impressionné par la beauté de la

cour intérieure — bâtie sur un plan carré, encadrée de quatre corps de bâtiment percés de fenêtres à cintres surbaissés — et, plus encore, par la façade d'entrée, couronnée d'un fronton triangulaire et cantonnée de deux tours carrées, disposées de biais. On se demande ce qu'aurait dit Mᵐᵉ de Sévigné si elle avait pu voir ce que l'on admire le plus aujourd'hui : la façade et les terrasses qui, côté parc, dominent les douves. Construite au XVIIIᵉ siècle, cette aile, rythmée de hautes fenêtres également réparties de part et d'autre d'un pavillon central précédé d'un escalier monumental, s'accommode parfaitement d'un encadrement de deux tours, et apparaît comme un chef-d'œuvre de rigueur et de noblesse.

Sully traversa indemne la période révolutionnaire et, par voie d'héritage, passa aux mains de Jean-Baptiste de Mac-Mahon, dont le fils Patrice, né ·en 1808 au château, devint maréchal de France et président de la République.

Parmi les châteaux de moins grand style, mais de haute qualité, qui font la richesse de la Saône-et-Loire, il faut citer *Monthelon,* au nord-ouest d'Autun, où vécut Jeanne Françoise Frémyot, baronne de Chantal. (Plus connue sous le nom de « sainte Jeanne de Chantal », elle fut la grand-mère de Mᵐᵉ de Sévigné et fonda, sous l'égide de saint François de Sales, qui vint souvent lui rendre visite, l'ordre de la Visitation.) C'est un « logis » du XVᵉ siècle dont la tour ronde, le petit campanile et la charmante loggia à colonnes ont quelque chose de terrien, qui évoque une noblesse rurale modeste, austère et fidèle à ses principes.

Au-dessus du Creusot, *Épiry,* où naquit Bussy-Rabutin, a de grosses tours rondes du XVᵉ siècle, associées à un corps de logis du XVIIIᵉ, alors que *Brandon* est une véritable forteresse du Moyen Âge, avec son pont-levis, son mur d'enceinte, son chemin de ronde, son appareil de défense et ses vieilles toitures patinées.

À l'est, près de Chagny, *Rully,* dont les tours, le donjon et les grandes caves voûtées d'ogives remontent au XIVᵉ siècle, a conservé tout son cachet et domine un vaste paysage de vignobles. On y voit un verre exceptionnel, d'une contenance de 3 litres, exécuté au XVIᵉ siècle pour le seigneur du lieu, véritable Gargantua, qui, dit-on, le vidait d'un trait.

Parmi les vignes et les prairies du Mâconnais

Plus au sud, aux abords du Mâconnais, le château de *Sercy* n'est pas ouvert à la visite, mais on peut admirer de loin la silhouette originale de cette demeure, qui mire dans les eaux de la Grosne tout un jeu de tours, datant du XIIᵉ siècle, dont l'une a conservé — ce qui est fort rare — son couronnement de hourds (galeries de bois). La

▲ *Porche à colonnes et fenêtres à croisillons,.*
la cour intérieure du château de Cormatin
a tout le charme de la Renaissance.

excavations qui ont nòm « théâtre », « thermes », « forum », « habitations gauloises » ont une signification essentiellement archéologique, que complètent heureusement deux musées (musée d'Alésia et musée municipal), riches de tous les vestiges découverts depuis un siècle : poteries, ex-voto, fragments d'armes et de sculptures, et surtout des bronzes admirables, qui contribuent à faire comprendre ce que fut la vie en ce haut lieu de la résistance gauloise aux légions romaines. On y trouve également une fort belle tête de Minerve en pierre, du IIe siècle de notre ère, qui ne provient pas des fouilles d'Alésia, mais de celles, beaucoup moins connues, qui ont exhumé, à quelques kilomètres de là, près du hameau de Hauteroche, les importants vestiges d'une villa gallo-romaine. (La

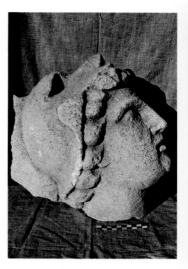

▲ *Vestige de l'occupation romaine,*
une Minerve casquée
plus grande que nature.
(Musée d'Alise-Sainte-Reine.)

cour intérieure, close de bâtiments à pans de bois des XIIIe et XVe siècles, marque une sensible évolution dans l'art des bâtisseurs bourguignons, qui, dans le nord du pays, n'utilisaient que la pierre.

En remontant le cours de la Grosne vers le sud, on arrive à *Cormatin,* dont le château, enfoui dans les arbres, n'est plus une forteresse, mais une demeure du XVIIe siècle, encore très marquée de Renaissance, avec des fenêtres à meneaux et des échauguettes anachroniques. Des deux ailes en équerre qui flanquaient le bâtiment central, une seule a survécu, mais la cour d'honneur, avec ses deux portes en pierre dorée, l'une dorique et l'autre ionique, a toujours grande allure. Le principal intérêt de Cormatin réside dans sa somptueuse décoration intérieure : lambris dorés à la feuille, plafonds à la française, peints et sculptés, peintures murales dues au pinceau des plus célèbres artistes de l'époque, toiles de maîtres, tapisseries des Gobelins et mobilier fastueux composent un ensemble d'une exceptionnelle richesse.

À l'est, juchée sur un promontoire encadré de deux ravins profonds, se dresse la citadelle de *Brancion,* dont les origines remontent au Xe siècle. Quasi imprenable, elle fut reconstruite au XVe siècle par le duc Philippe le Bon. Dominant un immense panorama sur les monts du Charolais et du Morvan, elle a conservé de son château deux tours et un puissant donjon, auxquels s'ajoutent, pour compléter l'ambiance de bourg féodal, de vieilles halles et la belle église romane Saint-Pierre, ornée de fresques.

Moyen Âge encore plus au sud, à *Berzé-le-Châtel,* siège de la plus vieille baronnie du Mâconnais. Son château fort du XIIIe siècle, qui défendait l'accès de la toute proche abbaye de Cluny, se dresse toujours parmi le moutonnement des collines couvertes de vignes, silhouette imposante, ceinturée d'une triple enceinte et entourée de jardins plantés de buis séculaires.

Au pays des grands bœufs blancs

À l'ouest du Mâconnais, les pâturages du Charolais couvrent collines et plateaux d'un tapis vert aux molles ondulations, parsemé, comme il se doit, de châteaux. Celui de *Digoine,* sur la Bourbince, qui a remplacé, au XVIIIe siècle, une citadelle du XVe, est une harmonieuse demeure dont les deux façades, très différentes (l'une est empreinte de la richesse du style Louis XIV, l'autre de la sobriété du XVIIIe s.), ont grande allure. Le joli théâtre — pastiche romantique de la Renaissance et du XVIIIe siècle — construit en 1840 à côté du château accueillit Coquelin et Sarah Bernhardt.

Le château de *Chaumont,* près de La Guiche, possède une façade datant de François Ier, avec une grosse tour dite « tour d'Amboise »,

mais il est surtout connu pour ses écuries monumentales — les plus belles de Bourgogne, dit-on —, conçues pour abriter 99 chevaux, car seul le roi avait le privilège d'en posséder 100 (ou plus).

Et quoi de plus séduisant que le château de *Drée,* près de La Clayette, édifié au XVIIe siècle? Son beau portique à double superposition de colonnes ioniques, son balcon, son écusson armorié, ses toits d'ardoises bleues coiffant des façades où le crépi rose se mêle à la pierre dorée, tout cela confère à l'édifice une harmonie originale, qui évoque quelque peu la place des Vosges.

À la limite occidentale du département, près de Bourbon-Lancy, à *Saint-Aubin-sur-Loire,* une demeure toute simple, aux proportions parfaites, termine en beauté ce bref survol des châteaux de Saône-et-Loire. Construite en 1772, peu avant que Louis XVI succède à Louis XV, elle résume tout ce que la fin du XVIIIe siècle a pu concevoir de plus élégant et de plus pur, avec ses fines toitures, ses façades couronnées de sobres frontons et ses terrasses descendant en pente douce jusqu'à la Loire.

Sentinelles de la Nièvre

On retrouve la Bourgogne féodale à l'ouest du Morvan, sur les plateaux et les collines du Nivernais. Ici, pas d'opulence composite ni d'élégance à l'italienne, mais de vieilles sentinelles encore solides au poste. La Renaissance, quand elle se manifeste, le fait fort discrètement, par des meneaux et des moulures qui adoucissent quelque peu les dominantes sévères d'une rigueur toute militaire. À *Chevenon,* au sud de Nevers, comme à *Giry,* à *Corbelin* et à *la Motte-Josserand,* au nord du département, les mâchicoulis qui couronnent les grandes murailles dépouillées sont ceux qu'aurait pu connaître Jeanne d'Arc au temps où elle assiégeait La Charité-sur-Loire. Et c'est aussi le cas de *Ménessaire,* chef-d'œuvre du XVIe siècle, riche de plafonds peints remarquables, actuellement en cours de restauration.

À *Bazoches,* au nord du Morvan, la puissante forteresse en trapèze, flanquée de tours rondes, qui, de sa position élevée, à flanc de coteau, surveille Vézelay depuis le XIIe siècle, fut acquise, vers 1675, par le maréchal Vauban, mais c'est tout juste si le célèbre bâtisseur fit plaquer quelques bossages classiques sur la vieille demeure où il travailla à l'élaboration de maintes places fortes. À peine moins ancien (XIIIe s.), le château fort tout proche (mais situé dans l'Yonne et fermé à la visite) de *Chastellux-sur-Cure* est bâti en triangle autour d'une cour que la Renaissance a orné d'une double galerie d'arcades, entre une tour carrée et une grosse tour ronde, ajoutées au XVe et XVIe siècle. Un incendie récent a gravement endommagé ses toitures.

plupart des nombreux objets découverts dans ces fouilles sont déposés dans le manoir féodal de *Gissey-sous-Flavigny,* en cours de restauration.)

Mais Alésia, c'est aussi Alise-Sainte-Reine, un vieux village bien bourguignon, dont la rue principale serpente à flanc de coteaux parmi les vignes. Sa belle église préromane, du Xᵉ siècle, bâtie sur plan lombard, mérite une visite, ainsi que la chapelle et, surtout, la remarquable pharmacie de l'hospice édifié par saint Vincent de Paul en 1659. ■

Le trésor de Vix

Les grandes plaines, couvertes d'épis à perte de vue, qui, au nord de la Côte-d'Or, entourent *Châtillon-sur-Seine* ont un aspect si

→

▲ *Sur une terrasse, au-dessus de Châtillon-sur-Seine, l'église romane de Saint-Vorles.*

Un donjon isolé, la tour Saint-Jean, domine les fossés ▼ *du château de Chastellux.*

À *Chassy,* plus au sud, quatre cents ans d'architecture (du XIVᵉ au XVIIᵉ s.) s'inscrivent avec une parfaite unité dans la poésie des enduits patinés, des grandes toitures brunies, des murs nus et des proportions heureuses. Et lorsque, au détour d'une route, surgit un témoignage de l'art de vivre du XVIIᵉ et du XVIIIᵉ siècle, c'est avec la rigueur sans concession des manoirs de *Menou,* du *Lys* ou de *Vésigneux,* dont les jolies fenêtres à petits carreaux restent associées à la tuile sombre de la Nièvre et au dépouillement des façades. Autrefois, on tenait sans doute cette sobriété pour une marque de petite seigneurie, mais on la trouve aujourd'hui plus émouvante que bien des riches décors sculptés. Tels les sangliers qui hantent les vastes forêts du Morvan, la plupart des châteaux du Nivernais sont rudes, abrupts et secrets.

Quelques pas en Puisaye

Vers le nord-ouest se déploient les aimables paysages de la Puisaye, séduisant enchevêtrement de vallonnements où pointent des clochers, de bois et de champs entremêlés, de petites routes encadrées de haies, serpentant parmi des hameaux et des étangs, et de nobles demeures où apparaît la brique rose des contrées de Loire : *Prunoy,* au nord, qui ouvre de grandes fenêtres du XVIIIᵉ siècle sur l'ordonnancement d'un beau parc; *Grandchamp,* dont les façades et les communs donnent sur des douves; *Bontin,* dont Sully fut propriétaire et où il se maria.

Briques roses encore, égayées de pierres blanches et coiffées d'ardoises, à *Saint-Fargeau,* plus au sud, dont les tours trapues sont reliées par des bâtiments dessinant un pentagone irrégulier. Ce plan est visiblement médiéval, mais le château fut rebâti une première fois au XVᵉ siècle, par Jacques Cœur, puis, au XVIIᵉ, par la Grande Mademoiselle, que Louis XIV y avait exilée pour la punir de son comportement durant la Fronde. C'est elle qui commanda à l'architecte Le Vau (qui bâtit le Louvre, le château de Vaux-le-Vicomte, et établit le plan général de Versailles) les superbes corps de logis qui encadrent la cour et les lanternons qui donnent aux tours leur aspect si particulier.

Une route pittoresque, qui longe le réservoir du Bourdon et ses installations sportives, conduit à *Ratilly,* dont le manoir féodal remonte au XIIIᵉ siècle. Le vieux portail noyé de lierre et les corps de bâtiment, couverts en tuiles brunes, qui encadrent la cour ont conservé la patine du temps et leur charme quasi « nervalien », tout en reprenant vie : le château est devenu un centre artisanal de poterie et un foyer renommé d'animation culturelle.

Non loin de là, la puissante forteresse féodale de *Druyes-les-Belles-Fontaines,* élevée au XIIᵉ siècle, est, au contraire, en ruine, mais elle

▲ Une «résidence secondaire»
du XVIIIᵉ siècle :
le château de Talmay, édifié
par un magistrat dijonnais.

champenois que l'on peut douter d'être encore en Bourgogne. Ravagée par la dernière guerre, qui détruisit tout le centre de la ville, Châtillon ne possède plus guère, en fait de monuments anciens, que deux églises très remaniées, Saint-Nicolas (XIIᵉ s.) et, surtout, Saint-Vorles, dont l'ensemble date de la fin du Xᵉ siècle. Mais elle a pris une belle revanche en s'enrichissant d'un trésor que convoitaient le Louvre et le musée de Saint-Germain-en-Laye.

En 1953, on découvrit sur les pentes du mont Lassois, qui domine le village de Vix, proche de Châtillon, une sépulture princière datant du VIᵉ s. av. J.-C. La tombe regorgeait de bijoux et d'objets de toutes sortes, en or, en argent et en bronze, qui sont maintenant exposés dans la «maison Philandrier», un édifice de la première Renaissance bourguignonne. Le chef-d'œuvre de cette collection inestimable est un énorme cratère en bronze, haut de 1,64 m et pesant 208 kg, flanqué de deux anses ornées d'une figure de Gorgone. Une admirable frise d'hoplites et de chevaux décore le col de l'immense vase, que complète un couvercle dont l'ombilic, à l'origine, portait une ravissante statuette de femme voilée, elle aussi exposée. Autre objet exceptionnel : le serre-tête (ou diadème) d'or qui ceignait le crâne de la défunte princesse gauloise lorsqu'on ouvrit son tombeau. Coupes, bassins et trépieds complétaient le mobilier, qui contenait jusqu'aux débris d'un char richement décoré. La diversité des styles (ils vont du gréco-scythique au grec archaïque et à l'art étrusque) est telle que la tombe de Vix apparaît comme une révélation

reste imposante. Un donjon carré du XIVᵉ, neuf arcades romanes, une vaste cour et une porte fortifiée dominent le rocher d'où l'Andryes, un ruisseau, jaillit non loin d'une belle église romane au portail très pur. L'intime association des ruines, du village et de l'église, groupés sur un relief accidenté, compose un site très attrayant.

Les villages forts du Serein

À côté de ces souvenirs dispersés et remaniés d'une époque rude la Bourgogne du Nord possède encore deux groupes de joyaux : des villages fortifiés, tout droit issus du Moyen Âge; de rares mais éclatants exemples de petits palais construits du XVIᵉ au XVIIIᵉ siècle.

En amont de Chablis, le Serein, paisible affluent de l'Yonne, serpente parmi les ajoncs et les bosquets. Dans un de ses méandres, une bourgade se blottit au pied d'un château fort en ruine : *Noyers*, une ancienne ville forte ceinturée de remparts. Ses portes fortifiées, ses seize tours rondes, l'enchevêtrement de ses places, de ses rues et de ses ruelles bordées de maisons à pans de bois composent un ensemble extrêmement pittoresque. Place du Grenier-à-Sel, du Marché-au-Blé, de la Petite-Étape-aux-Vins, maison dite «de la Toison d'or»..., autant de noms évocateurs d'un temps où le commerce enrichissait les «villes-marchés». Chaque été, concerts et expositions rendent au vieux bourg un peu de son activité d'antan.

Montréal-sur-Serein (ou «Mont-Royal», nom donné, au VIᵉ s., à la citadelle en souvenir des séjours qu'y fit la fameuse reine Brunehaut), étagée sur une colline, est une des villes féodales les plus caractéristiques de la Bourgogne. Comme dans toutes les places fortes, la pierre y domine. Entre la «porte d'En-bas» et la «porte d'En-haut», une rue bordée de maisons à tourelles des XVᵉ et XVIᵉ siècles conduit à une terrasse qui domine la verte vallée du Serein et sur laquelle se dresse une magnifique église ogivale. Ancienne collégiale, elle fut édifiée vers 1170. Viollet-le-Duc, qui la restaura au XIXᵉ siècle, prit la responsabilité de l'amputer de son clocher. Une belle rosace et un grand portail en plein cintre, à deux portes, ornent la façade. L'intérieur abrite de remarquables stalles en chêne sculpté du XVIᵉ siècle et un magnifique retable en albâtre, dit «de Nottingham», exécuté en Angleterre au XVᵉ siècle, dont quatre des sept panneaux ont malheureusement disparu en 1971, faute des mesures de protection qu'imposait la présence d'un tel chef-d'œuvre.

Vers le sud, dans le petit pays de Terre-Plaine, jalonné de fermes fortifiées, le château de *Ragny*, reconstruit sous Louis XIII, a conservé les grosses tours rondes de la forteresse médiévale qu'il a remplacée; saint Vincent de Paul y séjourna en qualité de précepteur du petit Paul de Gondi, qui devint plus tard le cardinal de Retz.

À l'écart du Serein, en pleine forêt, le *prieuré de Vausse,* un ancien monastère cistercien devenu propriété privée, a également conservé son charme médiéval, avec son cloître roman, son église du XIIIᵉ siècle, transformée en bibliothèque, et sa chapelle du XVᵉ.

À l'est, sur l'Armançon dont elle verrouillait la vallée, la vieille forteresse de *Montbard,* où séjournèrent souvent les ducs de Bourgogne, eut d'autres malchances. Acquise par le célèbre naturaliste Buffon, natif de la ville, elle fut démolie en 1742. Il ne subsiste, parmi les arbres centenaires du «parc de Buffon», qui couvre aujourd'hui tout le sommet de la colline, que le mur d'enceinte de la citadelle disparue, et deux tours, dont l'une abrite le cabinet de travail où le savant rédigea son *Histoire naturelle*. Quant à la ville elle-même, riche de nombreuses maisons des XVIᵉ, XVIIᵉ et XVIIIᵉ siècles, elle est défigurée par une percée routière pratiquée à travers les quartiers anciens.

La trilogie des châteaux blancs de l'Yonne

Entre Montbard et Tonnerre, patrie du mystérieux chevalier d'Éon, sur la rive droite de l'Armançon, la Renaissance a édifié, sur des plateaux monotones, des demeures princières qui, avec leurs pierres blanches et leurs toits d'ardoise, ressemblent aux palais de la Loire. Tel est, au milieu de ses jardins à la française, le superbe château d'*Ancy-le-Franc,* que l'Italien Serlio, architecte de Fontainebleau, bâtit au milieu du XVIᵉ siècle. L'intervention de cet artiste explique le plan quadrangulaire, la nudité des façades extérieures, la somptuosité de la cour intérieure carrée, chef-d'œuvre de la seconde Renaissance avec sa galerie à arcades ornée de pilastres composites. La décoration intérieure, œuvre d'autres Italiens de l'école de Fontainebleau — Nicolo Dell'Abate et le Primatice —, évoque l'atmosphère de quelque loge vaticane, et l'on ne retrouve la Bourgogne qu'avec les toits de tuile brune des écuries.

Le magnifique château de *Tanlay,* tout proche, relève du même goût pour le faste, mais son architecture est bien différente. Au bout d'une avenue de tilleuls centenaires, au milieu d'un beau parc, s'élève un ensemble de constructions merveilleusement hétéroclite. Alors que le Grand Château, de plan carré et ceinturé de douves, est Renaissance, comme le portail Neuf qui lui donne accès, le Petit Château qui le précède est du plus pur style Louis XIII. Comme à Ancy-le-Franc, l'intérieur du Grand Château, bien que terminé au XVIIᵉ siècle, est marqué d'italianisme, notamment la longue galerie décorée de scènes mythologiques. Dans la tour dite «de la Ligue», une allégorie du XVIᵉ siècle, traitée dans le style de l'école de Fontainebleau, resta dissimulée, jusqu'à ces dernières années, sous

sur l'étendue des grands courants économiques qui empruntaient, six cents ans avant notre ère, la vallée de la Seine, et unissaient les îles Britanniques (d'où provenait le précieux étain) à l'Europe occidentale, aux pays d'Orient, à l'Italie et à la Grèce. ■

Le pigeonnier d'Époisses

Sous l'Ancien Régime, les pigeonniers, producteurs d'un engrais fort apprécié, la fiente de pigeon ou « colombine », étaient des signes extérieurs de richesse, car leur importance permettait d'évaluer l'étendue du domaine. Un privilège seigneurial autorisait, en effet, de posséder un couple de pigeons pour trois arpents de terre (soit 1 ha et demi). Or, le pigeonnier d'Époisses

▲ *La frise du célèbre vase de Vix,*
fabriqué en Grèce quelque 600 ans av. J.-C.
et parvenu en Bourgogne
par des voies mystérieuses.

Gevrey-Chambertin :
au milieu de prestigieux vignobles,
le château restauré au XIIIᵉ s.
▼ *par les abbés de Cluny.*

un plafond en plâtre : un Janus représente la monarchie à double face, partagée entre les belliqueux ligueurs et les pacifiques protestants..., c'est-à-dire, bien entendu, les Coligny, maîtres des lieux. Intact, admirablement meublé, foisonnant de richesses avec ses jardins, ses douves, ses pièces d'eau, ses écuries, ses immenses communs et la surprenante variété de son architecture (marquée, notamment, par la forte personnalité de l'architecte Le Muet), Tanlay est un monde où les influences italienne et française coexistent en s'ignorant, et son manque d'unité est un chef-d'œuvre d'invention.

L'invention, c'est d'ailleurs ce qui caractérise le dernier élément de cette trilogie Renaissance, le blanc château de *Maulnes*, également attribué à Serlio, et qui se dresse un peu plus au nord, non loin de

Cruzy-le-Châtel, sur un plateau désert. Un extraordinaire escalier hélicoïdal dessert les étages, dont les pièces sont distribuées selon un plan circulaire. Ajouré à son sommet, le noyau autour duquel s'élève cette spirale de pierre sert de conduit aux eaux de pluie, qui alimentent une citerne logée à la base de l'escalier. Un tour de force aussi peu bourguignon que possible...

Folies en Dijonnais

C'est aux alentours de Dijon, ancienne capitale des ducs, entre l'austère plateau de Langres et la Côte couverte de vignes, que l'art

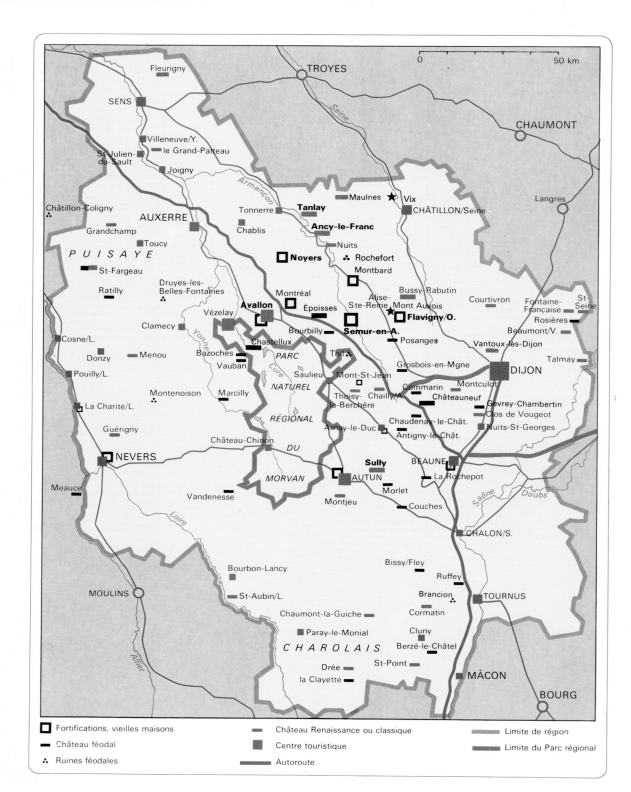

Fleurigny
TROYES
SENS
CHAUMONT
Villeneuve/Y.
St-Julien-du-Sault
le Grand-Parteau
Joigny
Seine
Châtillon-Coligny
AUXERRE
Tonnerre
Tanlay
Maulnes ★ Vix
CHÂTILLON/Seine
Langres
Grandchamp
Ancy-le-Franc
Toucy
Chablis
P U I S A Y E
Nuits
St-Fargeau
Noyers
Rochefort
Montbard
Ratilly
Druyes-les-Belles-Fontaines
Montréal
Bussy-Rabutin
Courtivron
Fontaine-Française
St-Seine
Alise-Ste-Reine Mont Auxois
Avallon
Époisses
Flavigny/O.
Rosières
Vézelay
Beaumont/V.
Clamecy
Bourbilly
Semur-en-A.
Vantoux-les-Dijon
Cosne/L.
Chastellux
Posanges
Talmay
Donzy
Bazoches
Menou
P A R C
Thil
Grosbois-en-Mgne
DIJON
Pouilly/L.
Vauban
Saulieu
Mont-St-Jean
Commarin
Montculot
Montenoison
NATUREL
Marcilly
Thoisy-la-Berchère
Chailly/A.
Châteauneuf
Gevrey-Chambertin
Clos de Vougeot
La Charité/L.
RÉGIONAL
Chaudenay-le-Chât.
Nuits-St-Georges
Guérigny
Château-Chinon
DU
Arnay-le-Duc
Antigny-le-Chât.
NEVERS
MORVAN
Sully
BEAUNE
La Rochepot
Meauce
AUTUN
Morlet
Saône
Doubs
Vandenesse
Montjeu
Couches
CHALON/S.
Bissy/Fley
Bourbon-Lancy
Ruffey
St-Aubin/L.
Brancion
TOURNUS
MOULINS
Chaumont-la-Guiche
Cormatin
Paray-le-Monial
Cluny
C H A R O L A I S
Berzé-le-Châtel
Drée
St-Point
la Clayette
MÂCON
BOURG

Loire
Allier

0   50 km

□ Fortifications, vieilles maisons
— Château féodal
∴ Ruines féodales
— Château Renaissance ou classique
■ Centre touristique
— Autoroute
— Limite de région
— Limite du Parc régional

possède 3 000 cases. Il pouvait donc accueillir 3 000 couples de pigeons, ce qui signifie que le château commandait autrefois un domaine de 4 500 ha, qui lui fournissait l'essentiel de ses ressources. Le même château ne possède plus, aujourd'hui, que 330 ha. Voilà qui pose exactement le problème du devenir des grandes propriétés de l'Ancien Régime, amputées, pour la plupart, des terres qui les faisaient vivre. ■

À l'écart des grandes routes

Aux confins de l'Yonne et de la Côte-d'Or, le château de *Rochefort* est niché en plein bois au-dessus du canal de Bourgogne, près du village d'Asnières-en-Montagne.

On pénètre d'abord dans l'ancien château du XIIᵉ siècle, qui conserve d'intéressants vestiges de son appareil défensif. Il a été aménagé en communs au XVIIᵉ siècle et, de ce fait, à peu près préservé.

Le second château, à proximité immédiate, date du XVᵉ siècle. C'est lui, surtout, qui retient l'attention, par la pureté de sa conception et la qualité de son exécution. Six tours puissantes flanquent un corps de logis élégant, percé de fenêtres à meneaux finement moulurés et surmonté de hautes cheminées. L'escalier principal est situé dans une tour hexagonale qui dessert plusieurs pièces à chaque niveau et se termine par une voûte d'une grande pureté, prenant appui sur le noyau central. Une échauguette reposant, de surprenante manière, sur un personnage sculpté — peut-être le constructeur des lieux — donne accès au niveau des toitures. Les cheminées monumentales sont encore accrochées à chaque niveau de plancher, et la qualité de leur construction révèle la virtuosité des artisans de la fin du XVᵉ siècle.

Malheureusement, l'ensemble a plus souffert des hommes que du temps : destructions volontaires pendant la Révolution, vandalisme au XIXᵉ siècle... Planchers, charpentes, toitures ont entièrement disparu. Mais l'appareil de pierre demeure d'une telle qualité, d'une telle fraîcheur, et la silhouette de ces ruines est si imposante que leur classement parmi les monuments historiques vient d'être décidé. ■

de vivre du « siècle des lumières » s'est le mieux exprimé en Bourgogne. À quelques kilomètres de la ville, à *Vantoux-lès-Dijon*, un président du parlement de Dijon se fit construire, en 1740, une élégante folie dont le fronton, les bas-reliefs, les guirlandes, les balustres et les parterres nous emmènent bien loin de la Bourgogne.

À l'est, entre deux étangs, à *Fontaine-Française,* ancienne enclave de la Couronne en terre bourguignonne, Mᵐᵉ de Saint-Julien, grande amie de Voltaire, fit élever en 1754, autour d'un pavillon central, coiffé d'un dôme rectangulaire, qu'Henri IV avait honoré de sa visite, un château de style fort classique. Elle y tint salon jusqu'en 1820 et reçut tous les beaux esprits de son temps, qui n'hésitaient pas à parcourir de longues lieues en calèche pour s'y retrouver.

Folie encore que le château de *Beaumont-sur-Vingeanne,* édifié par un abbé de cour enrichi et sans nul doute homme de goût, si l'on en

juge par les proportions parfaites et le décor raffiné de cet écrin conçu par un bon vivant.

Ce goût d'un art plus aimable, on le retrouve à *Talmay,* dont le château — réplique du ravissant hôtel de Biron, qui, rue de Varenne, à Paris, abrite le musée Rodin — jouxte un puissant donjon, témoin d'un autre âge.

Ces demeures raffinées vous feraient presque oublier que vous êtes en Bourgogne, si les célèbres vignobles de la Côte ne vous attendaient pas au sud, entre Dijon et Chagny, avec leurs châteaux féodaux : *Gevrey-Chambertin,* où il reste une haute tour carrée, un bel escalier à vis et une vaste salle médiévale de la forteresse du Xᵉ siècle, restaurée par les moines de Cluny et dévastée au XVIᵉ siècle; *La Rochepot,* bardée de tours à bonnets pointus, dont les toits de tuiles vernissées sont si typiquement bourguignons.

l'art roman
en Bourgogne méridionale

◄ *Dédoublée par son reflet*
dans la brumeuse Bourbince,
la basilique de Paray-le-Monial.

Un déambulatoire à absidioles, ►
dit «Promenoir des Anges»,
ceinture le chœur lumineux.

Chapeautés d'ardoise, les deux tours carrées
de la façade et le gros clocher octogonal
qui couronne la croisée du transept.
▼

𝓐 l'époque romane,
le rayonnement
de l'abbaye de Cluny
fit éclore un style
architectural particulier,
dit «clunisien»,
dont la basilique
de Paray-le-Monial
est le type le plus achevé.

▲ *Montceaux-l'Étoile :*
tympan et linteau sont sculptés
dans le même bloc de pierre.

▲ *Inspirées par l'art byzantin,*
les fresques de la chapelle des Moines,
à Berzé-la-Ville.

Une tour-clocher rectangulaire
domine de haut les toits de lauzes
▼ *de la petite église de Chapaize.*

Solide, trapue, ▶
l'église Saint-Pierre
de Brancion.

▲ *Exposé au musée du Hiéron de Paray-le-Monial,*
ce tympan roman provient du prieuré d'Anzy-le-Duc.

La Bourgogne méridionale a perdu
l'une des plus belles églises de la chrétienté,
la prestigieuse abbatiale de Cluny,
démolie après la Révolution,
mais elle a conservé de nombreux sanctuaires romans
dont l'abbaye influença l'architecture,
et ceux-ci constituent
une véritable anthologie de la pierre.

◀ *À Semur-en-Brionnais,*
un portail en ogive égaie
la sobre façade de l'église.

Antérieure à l'ère clunisienne,
l'église Saint-Philibert de Tournus
est l'un des chefs-d'œuvre
de la première époque romane.
Dédaignant tout ornement superflu,
ses architectes l'ont dépouillée
jusqu'à la nudité pour composer,
avec pierre rose et lumière blonde,
un chef-d'œuvre de sobriété
et de majesté.

Bas-côté du narthex :
la voûte en berceau,
partiellement décorée
▼ *d'un damier noir et blanc.*

▲ *Au fond des collatéraux,*
les baies jumelées de la chapelle
surélevée de Saint-Michel
forment tribune.

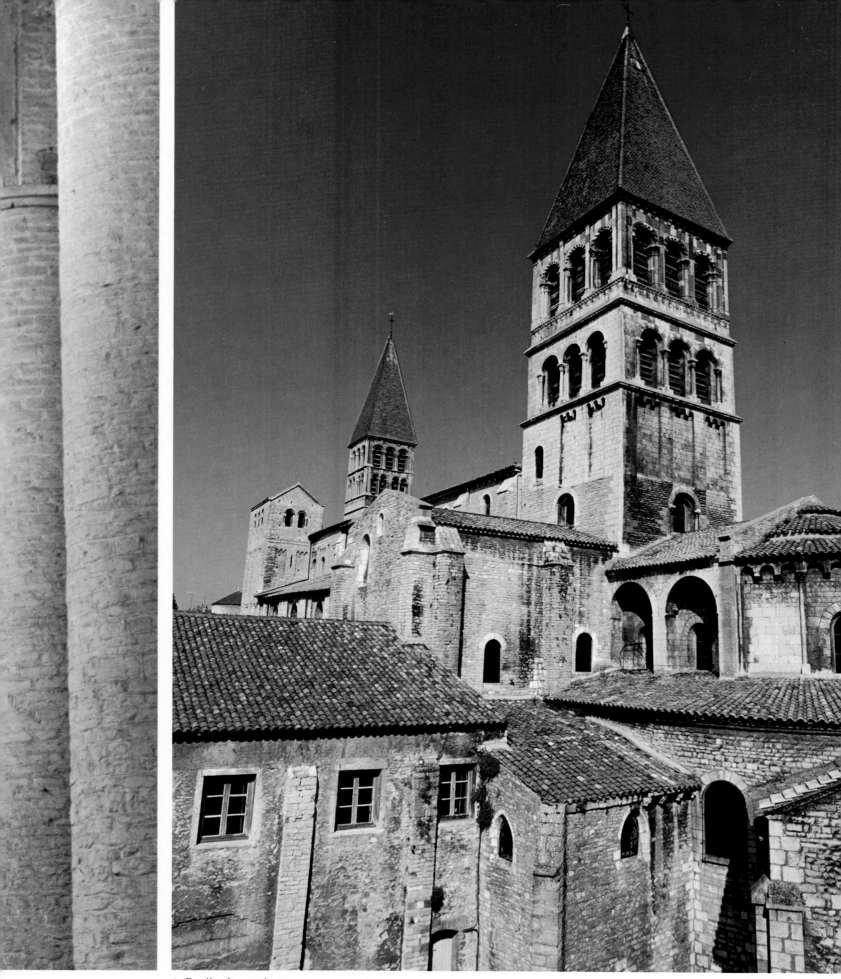

▲ Derrière la tour-lanterne
qui coiffe la croisée du transept,
on aperçoit le «campanile rose»
de la façade.

De la terrasse du ▶
château fort de Brancion,
on découvre le vieux bourg féodal
et son église en pierre jaune.

▲ *Clocher roman et toits de tuiles
sur fond de collines verdoyantes :
Blanot, un village typique
des monts du Mâconnais.*

*Austère donjon
percé de rares meurtrières,
la façade de Saint-Philibert de Tournus
▼ et ses deux tours dissymétriques.*

Grasses prairies et verts bocages du Charolais, dont la moindre butte permet de découvrir, à des kilomètres à la ronde, le doux vallonnement, piqueté de grands bœufs blancs; collines calcaires du Mâconnais, aux versants couverts de vigne et au sommet empanaché de taillis : la Bourgogne du Sud, avec ses petites métropoles régionales, ses bourgs actifs et ses campagnes que l'exode rural n'a pas réussi à dépeupler, a toujours été une région de transition entre le Nord et le Midi. Elle est aussi une région de passage, puisque, aux rivières qui la traversent et aux routes qui la sillonnent depuis l'Antiquité, se sont ajoutés le canal du Centre, le chemin de fer et, plus récemment, l'autoroute du Soleil.

C'est dans ce cadre attrayant que, au Xe siècle, l'abbaye bénédictine de Cluny suscita, en réformant la règle de saint Benoît, un prodigieux courant de piété. Dès le début du XIe siècle, avec la fin des invasions et de leur interminable cortège de dévastations, dans la sécurité retrouvée grâce à l'organisation de la féodalité, cet élan de foi se traduisit par une floraison de couvents et de prieurés, d'églises et de chapelles, offrant ainsi à l'art roman l'occasion d'un remarquable épanouissement.

C'est également en Bourgogne, mais plus au nord, à la hauteur de Nuits-Saint-Georges, qu'une autre grande réforme bénédictine, celle de Cîteaux, donna, au XIIe siècle, une nouvelle dimension à l'art roman : en dépouillant celui-ci de toutes les enluminures dont l'avait paré l'école clunisienne, l'austère saint Bernard fit éclore le style cistercien.

Saint-Philibert de Tournus

Sur les bords de la Saône, à mi-chemin entre Chalon et Mâcon, Tournus possède, avec l'ancienne abbatiale Saint-Philibert, le chef-d'œuvre de la première époque romane, celle dont l'architecture n'avait pas encore subi l'influence clunisienne.

À la fin du IIe siècle, un chrétien venu d'Asie Mineure, Valérien, avait subi le martyre sur une colline dominant la Saône. Sur l'emplacement de son tombeau, on avait édifié un petit oratoire qui, avec le temps, était devenu abbaye. Mais c'est seulement vers 875 que le monastère prend une importance réelle, lorsque les moines de Noirmoutier, mis en fuite par les invasions normandes, viennent y demander asile pour eux et pour les reliques de saint Philibert, le fondateur de leur ordre, qu'ils ont emportées afin de les soustraire aux Barbares. En 937, l'arrivée des Hongrois interrompt provisoirement le développement de l'abbaye, et c'est vers la fin du Xe siècle que l'abbé Wago entreprend des travaux si considérables qu'il faudra près de deux cents ans pour les mener à bien.

Pays du bon vin, pays de bonne gueule

En Bourgogne, dit-on, on devient vigneron, mais on naît cuisinier, et, si la Saône-et-Loire est fière de ses vins, elle l'est aussi de sa table. Le bœuf bourguignon, le coq au chambertin, les escargots de Bourgogne et le poulet de Bresse à la crème sont trop connus pour que l'on s'y attarde, mais certaines spécialités moins célèbres méritent l'attention.

Véritable poème rustique, la *potée bourguignonne*, pot-au-feu à la viande de porc, exige un pot de terre et de longues heures de cuisson : tout l'art consiste à introduire chacun des légumes au moment voulu. Les *rognons de porc à la mode de Chalon* sont sautés au beurre et flambés au cognac avant d'être mis à mijoter dans une sauce à base de tomates, tandis que la *queue de bœuf à la mâconnaise* est mouillée au vin rouge après cuisson, et servie avec des couennes et une purée de tomates. Enfin, la *cervelle de veau à la bourguignonne* est accompagnée d'une sauce au vin rouge additionnée de jaunes d'œufs et de sucre.

Côté poissons, le *brochet au chablis* est une des grandes vedettes de la table bourguignonne. Tombant malheureusement en désuétude, la *pauchouse* est une soupe faite avec des poissons d'eau douce, cuits dans un vin blanc très sec, et liée au beurre frais. Quant à la *barbue à la bourguignonne*, elle est cuite au court-bouillon et nappée d'une sauce au vin rouge agrémentée de champignons et de petits oignons.

Et si vous avez encore faim, nous

→

▲ *Dans le déambulatoire de Tournus, une grille en fer forgé protège les reliques de saint Philibert.*

Nef de Saint-Philibert de Tournus : les berceaux de la voûte, soutenus par des arcs-doubleaux, ▼ *sont disposés transversalement.*

Les bâtiments conventuels ont été durement éprouvés. Du cloître, seule subsiste la galerie qui longe l'église. La salle capitulaire, rebâtie au XIIIᵉ siècle après un incendie, est gothique et voûtée d'ogives. Au sud et à l'ouest, des constructions modernes dissimulent l'immense réfectoire et le cellier, tous deux du XIIᵉ siècle et voûtés en berceau brisé. Quant au joli logis abbatial situé un peu à l'écart, il date de la fin du XVᵉ siècle. On devine le tracé de l'ancienne enceinte, jalonné de quatre tours : les deux grosses tours rondes qui gardaient l'entrée principale, la tour du Portier et la tour Quincampoix. Sur la place de l'Abbaye, au nord de l'église, une cinquième tour flanque la « maison du Trésorier » (XVIIᵉ s.), où s'est installé le Musée bourguignon : des meubles, des costumes, des ustensiles du Mâconnais et de la Bresse y composent d'intéressantes reconstitutions d'intérieurs rustiques.

L'église abbatiale, dédiée à saint Philibert, est heureusement intacte. Construite en belle pierre ocre du pays, elle dresse sur une petite place au charme vieillot son imposante façade de forteresse, sobrement décorée de bandes lombardes (faibles reliefs verticaux, reliés au sommet par des arcatures), percée de rares meurtrières et couronnée de créneaux et de mâchicoulis. Des deux tours massives qui la flanquent, seule celle de gauche porte un clocher à arcades et à flèche, édifié au XIIᵉ siècle dans le style clunisien. Un deuxième clocher du même type couronne la croisée du transept.

On pénètre dans l'église par le narthex, sorte d'avant-nef à deux étages, bâtie dès la fin de l'invasion hongroise de 937 pour servir de refuge à la communauté. Ce narthex dégage la même impression de puissance que la façade : les fortes piles rondes, au nombre de quatre, qui le divisent en trois nefs dont la principale est voûtée d'arêtes; le poids écrasant qu'elles ont à supporter; la rudesse, enfin, de la maçonnerie, partiellement dégagée de l'enduit peint qui la recouvrait autrefois : tout cela dégage une austère grandeur que renforce encore la pénombre. À l'étage, auquel on accède par un escalier à vis, la chapelle Saint-Michel est bâtie sur le même plan, mais la hauteur de sa nef, voûtée en plein cintre, et la lumière qui la baigne lui donnent un tout autre aspect.

La vue sur la nef de l'église, depuis le narthex, ne laisse pas de confondre le visiteur. Ici, tout artifice décoratif est banni, l'enduit peint ayant presque partout disparu. L'effet plastique est obtenu uniquement par la succession des hautes colonnes rondes, en moellons de pierre rosée, orchestrée par un compositeur de génie. La suppression de toute ornementation intermédiaire crée un élan, une envolée à laquelle participent tous ensemble, tous en chœur, ces fûts admirables dans leur grandiose simplicité.

Usant d'une étonnante audace technique, l'architecte, fait rarissime, a couvert la nef centrale d'une suite de cinq berceaux transversaux soutenus par des arcs-doubleaux. Ces arcs, dont certains vous rappelons, pour mémoire, les andouilles de Mâcon, les écrevisses à la morvandelle, l'omelette aux truffes et le pâté chaud de bécasses au foie gras... ∎

Gourdon sur son coteau

Au nord du Charolais, face à un vaste panorama sur les monts du Morvan, Gourdon occupe le faîte d'un piton granitique, et c'est tout naturellement le granite qu'ont choisi, au XIᵉ siècle, les bâtisseurs de la petite église de l'Assomption.

Le plan de l'édifice comporte une nef à quatre travées et collatéraux, un transept en saillie à absidioles, un chœur d'une travée et une abside semi-circulaire. Cette église est la seule de la Bourgogne méridionale — avec celle, aujourd'hui

désaffectée, de Toulon-sur-Arroux — qui associe des voûtes d'arêtes, comme à Anzy-le-Duc, à une nef à trois étages, comme à Cluny. Entre les grandes arcades en plein cintre et les fenêtres, l'architecte a interposé une double arcature plaquée sur des colonnettes.

On y verra en outre des chapiteaux de style archaïque sur colonnes cruciformes et une fresque du XIIᵉ siècle, représentant le Christ dans les tons rouges, sur le cul-de-four de l'abside. Le clocher carré, reconstruit en 1889, s'achève en plate-forme. Le porche est sobre, avec ses deux colonnes à gauche, sa colonne unique à droite.

Le « trésor de Gourdon », composé d'objets d'or mérovingiens et découvert près du village en 1845, n'est plus à Gourdon, mais à la Bibliothèque nationale. ∎

▲ *Cette porte romane*
à double arcade
était l'entrée principale
de l'abbaye de Cluny.

Derrière l'église Notre-Dame de Cluny,
remaniée à l'époque gothique,
la sévère tour carrée des Fromages
▼ *et l'élégant clocher de l'Eau bénite.*

sont formés de claveaux alternativement blancs et colorés, s'appuient eux-mêmes sur des colonnettes reposant sur les piliers. Les bas-côtés sont, plus traditionnellement, voûtés d'arêtes.

Le transept et le chevet sont, pour l'ensemble, du XIIᵉ siècle. La croisée est coiffée d'une coupole surmontant une lanterne à quatre baies. Séparé du chœur par un hémicycle de colonnes aux chapiteaux si bien conservés qu'on les croirait neufs, le déambulatoire, bordé de deux chapelles orientées et de trois chapelles rayonnantes, dont celle du milieu contient les précieuses reliques de saint Philibert, prolonge les bas-côtés. Sous le chœur, une crypte d'une hauteur inhabituelle, correspondant probablement à l'ancienne sépulture de saint Valérien, est pareillement entourée d'un déambulatoire et de cinq chapelles à chevet plat, dont l'une recèle la fresque la mieux conservée de tout l'édifice.

Tournus possède deux autres églises romanes : Saint-Valérien, aujourd'hui désaffectée, qui date du début du XIᵉ siècle, et Sainte-Madeleine, plus jeune d'un siècle. Le musée Greuze est consacré au peintre, le plus célèbre des Tournusiens, et à des collections archéologiques allant de la préhistoire au Moyen Âge. Enfin, la pharmacie de l'hôtel-Dieu contient une collection de faïences hispano-moresques qui est probablement la plus riche de France et qui est remarquablement mise en valeur par un cadre de boiseries du XVIIᵉ siècle.

Cluny, phare de la chrétienté

Au sud-ouest de Tournus, dans les collines du Mâconnais où les pâturages alternent avec les vignes, la petite ville médiévale de Cluny pleure le souvenir de sa magnifique abbatiale, détruite à l'explosif par les marchands de matériaux qui l'avaient achetée après la Révolution. Perte assurément irréparable, mais les vestiges de son abbaye, ses églises et ses maisons anciennes suffisent néanmoins à faire de Cluny l'un des pôles d'attraction de la Bourgogne.

À lui seul le nom de Cluny symbolise le grand élan de ferveur religieuse qui souleva la France du Moyen Âge. Pour apprécier l'influence que l'abbaye eut sur la vie religieuse, il faut remonter au premier tiers du VIᵉ siècle, lorsque Benoît de Nursie, qui n'était pas encore saint Benoît, menait au monastère du Mont-Cassin, en Italie, la vie de réclusion ascétique qui donna naissance à ses célèbres *Constitutions*. La règle bénédictine qui en est issue accorde une large place aux activités manuelles, alternant avec la prière et la méditation, mais non plus avec le jeûne et l'abstinence, voire avec les mortifications et autres pénitences douloureuses qui étaient de règle dans bien des ordres.

Cîteaux ou le souvenir de saint Bernard

À l'instar de Cluny, Cîteaux fut un des hauts lieux de la chrétienté. C'est au nord de la plaine de Bresse, parmi les « cistels » (roseaux), que l'abbé de Molesmes, saint Robert, fonde, en 1098, l'ordre des Cisterciens. En 1112, alors que la communauté traverse une grave crise de recrutement, Bernard, un jeune noble bourguignon qui vient de renoncer aux honneurs et aux richesses, se présente à la porte du monastère avec trente-deux compagnons cherchant comme lui la miséricorde divine...

Très vite, le futur saint Bernard, dont l'ascendant fait l'admiration de ses pairs, rétablit la situation. L'abbaye est sauvée et, en 1115, Bernard peut quitter Cîteaux pour

▲ À Milly-Lamartine,
la maison où le poète
passa son enfance.

aller fonder à Clairvaux, aux confins de la Bourgogne et de la Champagne, une nouvelle maison dont il sera l'abbé.

Chassés par la Révolution, les cisterciens — devenus les trappistes — ont repris possession de leur couvent depuis 1898. Il ne reste rien de l'abbaye que connut saint Bernard. Le bâtiment le plus ancien date du XVe siècle : au-dessus d'une galerie voûtée dont les larges arcades bordaient jadis le cloître, sa façade de briques émaillées, aux fenêtres béantes, fut celle de la bibliothèque. ■

Le Mâconnais de Lamartine

Poète célèbre, académicien, mais aussi diplomate, député, ministre et candidat malheureux à la présidence

En 910, Guillaume le Pieux, duc d'Aquitaine, mais aussi comte d'Auvergne, du Velay et de Mâcon, désirant qu'un couvent soit fondé sur ses terres du Mâconnais, octroya à cet effet à l'abbé de Baume, dans le Jura, sa « villa » de Cluny, « entourée d'un jardin et d'un domaine », abandonnant au futur monastère ses prérogatives sur « villages et chapelles, serfs des deux sexes, vignes, champs, prés et forêts, eaux courantes et farinières, terres cultivées et incultes ».

La charte de la nouvelle abbaye prévoyait que la congrégation, régie par la règle de saint Benoît, serait exempte de toute sujétion temporelle ou spirituelle autre que celle du Saint-Siège. Cette indépendance allait permettre aux moines de Cluny d'entreprendre, peu après la fondation de leur maison, la réforme qui, tout en s'attachant à une stricte observance de la règle bénédictine originelle, accordait le sacerdoce à tous les moines suffisamment instruits et proscrivait presque totalement les travaux manuels, remplacés par des offices plus nombreux et plus longs que par le passé.

Le succès de la doctrine nouvelle fut tel que, au début du XIIe siècle, Cluny comptait 1 450 filiales implantées parfois fort loin, jusqu'en Espagne, en Italie, en Angleterre et en Allemagne. Durant tout le XIe siècle et une partie du XIIe, l'abbaye, intelligemment gouvernée par des abbés de grande valeur — qui furent d'ailleurs tous canonisés —, fut le centre religieux, intellectuel et artistique de l'Europe. Mais, peu à peu, l'extraordinaire rayonnement de Cluny s'affaiblit. Dès 1112, à l'abbaye de Cîteaux d'abord, puis à Clairvaux où il s'installa ensuite, saint Bernard donnait une extraordinaire impulsion à l'ordre cistercien, continuateur du mouvement clunisien, mais avec un retour aux sources vives souhaitées par saint Benoît et un renoncement sans concession aux biens et aux plaisirs de ce monde.

Avec Cluny, l'architecture romane bourguignonne, jusqu'alors imprégnée d'influences méditerranéennes, acquit sa personnalité. En 1088, l'abbé Hugues de Semur, successeur d'Odon, de Mayeul et d'Odilon, entreprit la construction de la troisième abbatiale de Cluny, celle dont il nous reste quelques vestiges. Avec ses 187 m de longueur, elle fut la plus vaste église de toute la chrétienté jusqu'à l'édification de Saint-Pierre de Rome. Bâtie en forme de croix de Lorraine, elle comportait deux transepts, cinq nefs et sept clochers. À l'ouest et au sud s'ordonnaient les bâtiments claustraux, et un mur d'enceinte séparait le couvent de la ville active et parfois turbulente qui s'était créée autour de lui.

C'est du col du Loup, sur la route d'Autun, que l'on a la meilleure vue d'ensemble sur la petite cité. De l'abbaye qui fut l'un des phares de la chrétienté, il reste un imposant ensemble de bâtiments, mais bien peu d'entre eux datent du temps de la splendeur : la plupart ont été reconstruits au XVIIIe siècle. Entourant un immense cloître, ils

Seuls vestiges de l'abbatiale de Cluny,
le croisillon droit du transept,
le clocher dit « de l'Eau bénite »
▼ et la tour carrée de l'Horloge.

de la République, Alphonse de Lamartine fut également un propriétaire terrien fort attaché à son patrimoine. Né à Mâcon en 1790, d'une famille originaire de Cluny, il a laissé un souvenir très vivace dans son pays natal.

À *Mâcon* même, les admirateurs du grand romantique n'ont que l'embarras du choix : statue de Lamartine par Falguière sur le quai Lamartine, musée Lamartine dans l'hôtel Senecé, maison natale de Lamartine rue Bauderon-de-Senecé et, rue Lamartine, demeure citadine de sa famille, où il composa ses premiers vers.

Le *château de Monceau*, une belle demeure du XVIIᵉ siècle, entourée d'hectares de vignes, devint la propriété du poète en 1833, à la mort d'une de ses tantes. Il y fit faire de gros travaux, y écrivit *l'Histoire des*

▲ *Saint-Julien-de-Jonzy :*
les iconoclastes qui ont décapité
les personnages du linteau
ont épargné le Christ et les anges du tympan.

Girondins et y reçut ses amis politiques. C'est aujourd'hui une maison de retraite.

Bussières est le pays de Jocelyn, ou plutôt de l'abbé Dumont, qui servit de modèle au héros du poème. Après avoir été le précepteur de Lamartine, l'abbé était devenu son ami et lui avait raconté sa vie : rendu à la vie civile par la Révolution, il avait eu une liaison secrète avec la fille d'un seigneur voisin, Marguerite de Pierreclos, que le poète rebaptisa Laurence de Milly. L'abbé Dumont est enterré près de l'église romane, sous une épitaphe de Lamartine. *Pierreclos* n'est pas loin, et le « château de Laurence » est toujours dans le vallon de la Petite-Grosne.

Sanctuaire lamartinien par excellence, le village de *Saint-Point* abrite la dépouille du poète. Le château, qui fut sa résidence

Au pied du massif clocher
de l'église de Blanot,
les bâtiments gothiques
▼ *de l'ancien prieuré.*

composent un bel ensemble classique. À l'ouest, une façade gothique du début du XIIIᵉ siècle, dite « du pape Gélase », cache l'École des arts et métiers. De l'enceinte, il subsiste deux portes — l'entrée principale à double percée et la porte des Champs — et plusieurs tours : Fabry, Ronde, des Fromages, du Moulin... Cette dernière est accolée à un important bâtiment du XIIIᵉ siècle, le Farinier, occupé par un musée lapidaire. Près de l'entrée principale, le logis abbatial construit par l'abbé Jean de Bourbon au XVᵉ siècle abrite le musée Ochier, et le palais d'Amboise, dû à l'abbé Jacques d'Amboise et de style Renaissance, sert d'hôtel de ville.

De l'immense église abbatiale, en dehors de soubassements mis au jour par des fouilles, seul le croisillon sud du grand transept a survécu. Il est surmonté d'un magnifique clocher octogonal, haut de 62 m et dit « de l'Eau bénite ». Une tour carrée, dite « de l'Horloge », est appliquée contre son flanc ouest. À l'intérieur, l'élévation exceptionnelle des voûtes en berceau brisé, la majesté de la coupole sur trompes qui se hausse à plus de 32 m, l'élégance des arcades et des pilastres, la richesse de la décoration sculptée donnent une idée de la splendeur de l'édifice doté d'un tel croisillon. Du petit transept roman, il ne reste qu'une absidiole, mais la jolie chapelle de Bourbon, de style gothique, qu'on lui avait accolée au XVᵉ siècle, est toujours debout.

C'est au premier étage du bâtiment qui fut jadis le « farinier » des moines, sous une remarquable charpente en carène, que l'on a rassemblé les chapiteaux sculptés du chœur de l'église. Ces dix chefs-d'œuvre couronnaient les huit colonnes isolées et les deux colonnes engagées formant le rond-point de l'abside. On y découvre le péché d'Adam et Ève, le sacrifice d'Abraham, les saisons, les vertus théologales, les huit tons du plain-chant, le paradis et les travaux de la terre, traduits avec une facture d'une qualité telle qu'il n'est nullement excessif de parler de merveilles.

Au musée Ochier (musée municipal), on découvre d'autres fragments de l'abbatiale, tels la clé de voûte d'une travée du narthex, où l'artiste a sculpté l'agneau pascal avec l'inscription *Hic parvus sculptor Agnus, in caelo magnus* (« Ici je suis sculpté sous la forme d'un petit agneau, au ciel je suis grand »), des chapiteaux retrouvés lors de campagnes de fouilles, divers vestiges provenant du portail occidental. Et une série d'aquarelles et de maquettes qui permettent au visiteur — peut-être un peu désorienté par tant de manques, de vides et d'interrogations — de comprendre ce qu'était le Cluny des grandes heures, quand le pape Grégoire VII disait de son couvent : « Il est parvenu sous de saints abbés, par la grâce et la clémence divines, à une sainteté telle qu'il surpasse tous les moutiers d'outre-monts dans le service de Dieu et la ferveur spirituelle [...] Nul autre ne l'égale, car il n'y a pas eu à Cluny un seul abbé qui n'ait été un saint. »

préférée, est devenu un musée où sont rassemblés divers souvenirs, tel le lit dans lequel il mourut à Paris, oublié et à peu près ruiné, en 1869. Près de l'église romane du village s'élève une chapelle de style gothique que Lamartine avait fait édifier et dans laquelle il repose au milieu de membres de sa famille.

Milly-Lamartine, enfin, vit se dérouler l'enfance heureuse du poète, venu s'y installer avec sa famille à l'âge de sept ans, à la suite d'un héritage. Il était resté très attaché à la maison, liée pour lui au souvenir de sa mère, et, lorsque ses revers de fortune l'obligèrent à s'en défaire, ce fut « comme si on lui arrachait le cœur ». Deux poèmes, *Milly ou la Terre natale* et *la Vigne et la maison*, rappellent l'affection de Lamartine pour le village où s'était éveillée sa sensibilité. ■

▲ *Près de Pierreclos, un paysage de prés et de vignes où se plaisait Lamartine.*

La vue imprenable de Mont-Saint-Vincent

Construit à la proue d'une colline, à 603 m d'altitude, le village charolais de Mont-Saint-Vincent est l'un des points culminants du département de la Saône-et-Loire. De la table d'orientation placée au sommet d'une tour-belvédère, on découvre les monts du Morvan, les dépressions où s'abritent Le Creusot et Autun, les collines du Mâconnais et du Charolais, composant un panorama circulaire sans égal dans la région, à l'horizon duquel se profilent, par beau temps, le puy de Dôme, le ballon d'Alsace et la chaîne des Alpes.

Bâtie à la fin du XIᵉ siècle pour un prieuré clunisien, l'église rustique, dont le porche carré abrite un portail à tympan grossièrement sculpté,

Pour séduire ses visiteurs, Cluny possède encore d'autres attraits. On y trouve d'authentiques maisons romanes, un hôtel des monnaies du XIIIᵉ siècle et deux églises qui, bien que très remaniées à l'époque gothique, ont gardé de beaux souvenirs du style clunisien : la nef élancée de Notre-Dame et sa tour-lanterne, le clocher octogonal à trois étages de Saint-Marcel.

Une anthologie de pierre

La Bourgogne méridionale s'est si bien imprégnée du souffle fécond de Cluny que les sanctuaires romans ne s'y comptent plus. Dans les monts du Mâconnais, dont les collines au profil de vague semblent déferler comme une houle vers la lointaine plaine de Bresse, ils forment une véritable anthologie de pierre — de pierres vives —, composée de pièces rares dont la plupart, par une inexplicable faveur du destin, sont restées presque intactes. Certaines sont partiellement endommagées, bien peu complètement ruinées.

Au sud de Cluny, du petit piton rocheux de *Berzé-la-Ville*, où saint Hugues avait établi sa résidence d'été, on découvre un large pan du Mâconnais : au fond du décor, la vallée de la Saône; plus près, les hauteurs rocheuses de Solutré, de Pouilly, de Vergisson, et Milly-Lamartine, perdue dans les vignes... Les bâtiments de l'ancien prieuré, dit « château des Moines », datent du XVIIIᵉ siècle, mais la chapelle à deux étages est du plus pur style roman. Au-dessus d'un bâtiment voûté, qui servit peut-être de crypte, la chapelle haute est décorée de fresques du XIIᵉ siècle qui sont parmi les plus belles que nous ait léguées l'art clunisien. Celles de la nef ont disparu, mais celles du chœur et de l'abside, notamment le Christ en majesté qui orne la voûte en cul-de-four et les saints des soubassements des fenêtres, sont toutes remarquables. Protégées de l'humidité et de la lumière par le badigeon qui les a dissimulées aux regards pendant des siècles, elles sont d'une étonnante fraîcheur et révèlent, tant par la virtuosité du dessin que par la richesse des coloris, une parfaite maîtrise ainsi qu'une nette influence byzantine, visiblement due à l'influence des croisades.

Au nord de Cluny, le village médiéval de *Blanot* se blottit au pied du mont Saint-Romain. Ses maisons à toit de lauzes et à galerie entourent un prieuré qui fut l'une des plus anciennes dépendances clunisiennes. Les bâtiments qui subsistent sont gothiques, ainsi que la nef de l'église, mais l'abside et le clocher-voûte de celle-ci datent du XIᵉ siècle et appartiennent au premier art roman. À la sortie du village, des grottes bien aménagées offrent une succession de 21 salles, s'enfonçant à plus de 80 m de profondeur, jusqu'à une rivière souterraine.

Derrière le clocher octogonal de l'église de Saint-Gengoux-le-National se profile la tourelle d'horloge ▼ *bâtie à l'extrémité du transept.*

La Bourgogne romane. 17

comporte une nef voûtée de berceaux transversaux, comme celle de Saint-Philibert de Tournus, et bordée de bas-côtés à voûtes d'arêtes. Une coupole sur trompes coiffe encore la croisée du transept, mais le clocher qu'elle portait a disparu après la Révolution. ■

L'acier au pays du vin

En 1836, Joseph-Eugène Schneider et son frère Adolphe, maîtres de forges à Bazeilles, en Lorraine, viennent s'installer en pleine Bourgogne, au Creusot, une petite bourgade de 3 000 âmes qui produit du charbon (on a cessé de l'exploiter en 1904) et dont la fonderie de canons, en déconfiture, est à vendre pour une bouchée de pain. Le sort de la ville et de tout le

▲ *Ce sont les moines de Cluny qui ont planté les premières vignes du Mâconnais. (Cortambert, près de Blanot.)*

Dans l'église romane de Brancion,
▼ *fresques datant du XIVᵉ siècle.*

À l'orée de sa forêt, *Chapaize* possède une église de style roman primitif, dominée par un clocher énorme, disproportionné. Haut de 35 m, de plan rectangulaire, plus large à la base qu'au sommet, il est décoré de bandes lombardes et de deux étages de baies jumelées. À l'intérieur de l'église, de gros piliers cylindriques portent la voûte en berceau brisé et la coupole octogonale.

Encore plus au nord, *Saint-Gengoux-le-National* — qui fut « le Royal » jusqu'en 1880, sauf pendant la Révolution où il fut rebaptisé « Jouvence » — possède de belles fontaines, des restes de fortifications, des ruelles pittoresques, des maisons anciennes et une église dont le transept et le clocher octogonal sont romans. Ce dernier est curieusement relié par une légère passerelle à une mince tourelle d'horloge, presque aussi haute que lui, qui se dresse à l'extrémité du croisillon sud. Le chœur, construit au XVᵉ siècle, est de style flamboyant, et la nef a été rebâtie au XVIIIᵉ siècle.

Plus à l'est, aux environs de Tournus, l'église Saint-Pierre de *Brancion*, du XIIᵉ siècle, est d'une telle sobriété que certains spécialistes y voient l'influence cistercienne. Son austérité est tempérée par les fresques du XIVᵉ siècle qui décorent l'abside et les bas-côtés. À l'extérieur, la teinte chaude de la pierre, le clocher central carré, le toit de lauzes, l'équilibre des masses composent un ensemble à la fois rustique et harmonieux. L'église d'*Uchizy*, également dédiée à saint Pierre, dont elle possède une intéressante statue polychrome, est plus ancienne; construite par l'abbaye de Tournus, elle ne doit rien à l'influence clunisienne, pas plus que celle de *Farges-lès-Mâcon*, encore plus archaïque, qui rappelle, en beaucoup plus petit, Saint-Philibert, avec sa voûte à berceaux transversaux reposant sur des piles rondes maçonnées.

Le Brionnais ou le musée en plein vent de la pierre sculptée

De l'autre côté des petites vallées ombreuses chères à Lamartine, le Brionnais est un pays paisible, agréablement vallonné, tout entier placé sous le signe du vert, vert tendre des gras pâturages, vert plus sombre des bois. Et sous celui de la pierre sculptée, car chaque hameau a son église romane, et chaque église son portail sculpté, toujours renouvelé, toujours admirable.

Au sud, sur la vallée de la Loire qu'elle domine du haut de sa colline, l'église d'*Iguerande* prélude, avec son beau clocher carré élevé sur coupole à la croisée du transept, à ce festival d'art clunisien. Premier — et l'un des plus célèbres — portail de ce musée en plein vent : celui de *Saint-Julien-de-Jonzy*, seul vestige, avec le petit clocher carré typiquement bourguignon, de l'église du XIIᵉ siècle. Tympan et bassin alentour sera désormais lié à la présence de leur firme, dont le nom devient très vite synonyme de matériel lourd. Des ateliers des frères Schneider sortent en effet les premières locomotives à vapeur, les premières machines destinées à des navires, puis, plus tard, des pièces pour les centrales électriques, pour les usines, pour les mines, pour les installations portuaires. Peu avant la guerre de 1870, Le Creusot fournit nos armées en canons et en plaques de blindage.

Symbole de cette vocation, le principal « monument » du Creusot est aujourd'hui un énorme marteau-pilon de 100 t. Haut de 21 m, il date de 1876 et fut considéré à l'époque, dans le monde entier, comme un chef-d'œuvre de la technique. Ancêtre d'une longue lignée, il a bien mérité de trôner sur une place, au centre d'une ville active dont 10 000 habitants travaillent pour les Établissements du Creusot ... ■

La communauté œcuménique de Taizé

Au pied des monts du Charolais, le village de Taizé domine, du haut de sa colline, la vallée de la Grosne, la rivière qui arrose Cluny. Sa petite église romane est charmante, avec son mince clocher carré, couronné d'une flèche de pierre. À l'intérieur, la nef voûtée en berceau brisé, étayée par de gros arcs-doubleaux, incite au recueillement. C'est pourtant un sanctuaire moderne, l'église de la Réconciliation, inaugurée en 1962, tout en béton et dalles de verre, qui attire le plus de visiteurs. Là, trois fois par jour, la

———————→

▲ *Christ en majesté au tympan,*
Vierge et Apôtres au linteau :
le grand portail du narthex
de l'abbatiale ruinée de Charlieu.

Au linteau du portail
foisonnant de sculptures
de Semur-en-Brionnais :
▼ *saint Hilaire à Séleucie.*

linteau, sculptés dans le même bloc de pierre, représentent le Christ en majesté, entouré de deux anges aux ailes déployées, et une Cène dont les convives ont perdu la tête quand la rage révolutionnaire s'en est prise à Dieu. Voussure et chapiteaux fleuris complètent l'élégance de l'ensemble.

À *Semur-en-Brionnais*, qui vit naître saint Hugues, Cluny a élevé une collégiale très caractéristique de son style, avec son chevet pyramidal et son clocher octogonal. Le portail principal annonce déjà le style gothique, avec son arc très brisé et ses chapiteaux à crochets végétaux. Sous le tympan où le Christ en majesté trône au milieu des symboles des quatre évangélistes, le linteau représente cette fois saint Hilaire au concile de Séleucie, en l'an 359.

Marcigny fut dotée par saint Hugues, au XIIᵉ siècle, d'un prieuré de moniales. L'église a conservé sa façade d'époque, malheureusement assez éprouvée par les siècles; derrière, une tour du XVᵉ siècle, dite « tour du Moulin des moines », abrite un intéressant musée régional, possédant notamment une importante collection de faïences anciennes.

Considérée comme la plus belle église du Brionnais, l'abbatiale du prieuré d'*Anzy-le-Duc*, filiale de l'abbaye de Cluny, est souvent citée comme exemple du style clunisien. On admire surtout son remarquable clocher octogonal à trois étages, mais aussi la pureté de sa nef voûtée d'arêtes, ses chapiteaux historiés, son chevet à cinq absidioles décorées de fresques, son portail et celui du prieuré, d'un style très

primitif. Le plus beau portail d'Anzy-le-Duc, qui s'ouvrait autrefois dans le mur d'enceinte, face à l'église, se trouve maintenant à Paray-le-Monial, au musée du Hiéron : sous l'habituel Christ en gloire du tympan, porté par deux anges, le linteau représente la Vierge et l'Enfant, entourés des évangélistes et des saintes femmes.

À *Varenne-l'Arconce*, le grand portail est dépouillé de tout ornement, probablement parce que l'église est construite en grès dur et non dans la belle pierre dorée et tendre du Brionnais, et l'intérêt se concentre sur le portail latéral, dont le tympan figure avec élégance l'Agnus Dei sous un décor de fleurs. Grès aussi à *Saint-Germain-en-Brionnais*, dont le tympan n'est orné que d'une croix potencée, sous une voussure lisse à l'arc à peine brisé. Mais on retrouve le calcaire ocre à *Montceaux-l'Étoile*, dont l'admirable portail sculpté fusionne tympan et linteau pour représenter l'Ascension : le Christ, portant sa croix et soutenu par des anges, s'élève avec majesté au-dessus des Apôtres pleins de vie et de mouvement.

L'abbaye de Charlieu

Au sud du Brionnais, Charlieu, dont la foire hebdomadaire voit défiler les fameux bestiaux du Charolais, possède les plus méridionaux des célèbres portails romans bourguignons.

Fondée au IXᵉ siècle, rattachée à Cluny au Xᵉ, l'abbaye de Charlieu édifia au XIᵉ, grâce aux artistes de sa maison mère, l'une des églises clunisiennes les plus somptueusement ornées. De cette église, la tourmente révolutionnaire n'a laissé subsister qu'une travée de la nef et le narthex à deux étages qui lui avait été accolé au XIIIᵉ siècle. Solution originale, ce narthex s'ouvre non pas dans l'axe de l'église à laquelle il servait de vestibule, mais latéralement, sur son flanc nord, par un double portail. La plus grande des deux baies est nettement inspirée par l'art oriental, avec ses voussures abondamment décorées de motifs floraux et géométriques. Le tympan représente l'ascension du Christ, entouré d'anges et des symboles des quatre évangélistes, tandis que le linteau est réservé à la Vierge et aux Apôtres. Sur le jambage de gauche, une femme symbolise la luxure avec une grâce sensuelle qui évoque l'art grec. Sur la petite baie sont figurés, au tympan, les Noces de Cana, au linteau, un sacrifice antique. À l'intérieur du narthex, qui abrite plusieurs sarcophages, un troisième portail, plus ancien et plus simple, donnait sur l'église : il représente le Christ en majesté, encadré de deux anges, au-dessus des douze Apôtres. À l'étage, auquel on accède par un escalier à vis, la salle des Archives, qui a conservé son carrelage d'époque, donne sur les fouilles qui ont mis au jour les soubassements de l'église disparue. Au sud, un cloître du XVᵉ siècle communique avec la salle capitulaire de

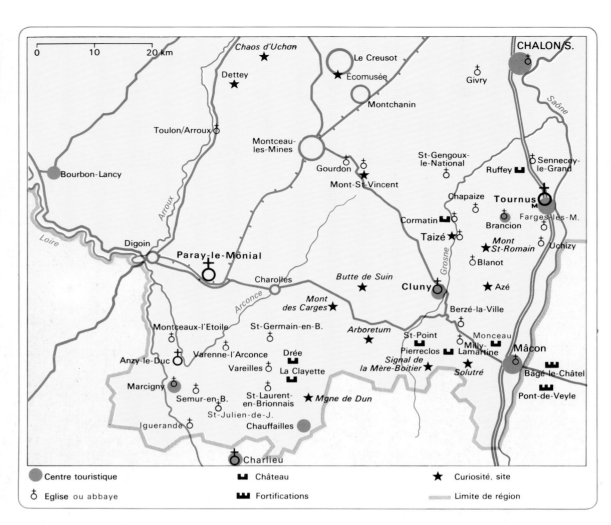

→

communauté œcuménique de Taizé
prie pour l'unité des chrétiens, de
tous les chrétiens.

Fondée sous l'Occupation par un
Suisse de Lausanne, Roger Schutz,
dit « frère Roger », la communauté
monastique de Taizé est la première
qui soit issue de la Réforme. Créée
par des protestants qui se sont voués
au célibat et à la vie communautaire,
elle a accueilli, depuis, des
catholiques et des orthodoxes
venus du monde entier.

Après une vingtaine d'années
de solitude, la communauté
œcuménique de Taizé suscite un
grand élan de curiosité et d'espoir.
Les jeunes, en particulier, y
viennent de plus en plus nombreux.
En août 1974, un premier
« concile des jeunes » a réuni
40 000 participants de toutes les
confessions et de toutes les
nationalités. Et maintenant, comme
jadis Cluny et Cîteaux, Taizé
essaime à travers le monde... ■

même époque par six arcades romanes, à colonnes jumelées,
provenant de l'ancienne abbaye. La chapelle attenante de l'Assomption et son clocheton recouvert d'écailles de bois, le pittoresque logis
du Prieur et ses deux tourelles d'escalier, le vieux puits datent du
XVIe siècle, mais le gros donjon cylindrique est médiéval : il fut
financé par Philippe Auguste, protecteur de l'abbaye, qui aida celle-ci
à s'entourer d'une enceinte fortifiée.

Charlieu possède de nombreuses maisons anciennes et un autre
cloître qui appartenait à un couvent des Cordeliers. De forme
trapézoïdale, ce cloître est gothique, et la luxuriance de sa décoration
sculptée a bien failli nous le faire perdre : le gouvernement l'a racheté
in extremis, au moment où des Américains, qui en avaient fait
l'acquisition, s'apprêtaient à le démonter pierre par pierre pour le
transporter dans leur pays.

La splendeur de Paray-le-Monial

Dans la verdoyante plaine du Charolais, *Paray-le-Monial* se prélasse
dans une vallée si agréable qu'on l'appelait jadis Val-d'Or. Bourbince
et canal du Centre y cheminent de conserve, pareillement frangés de
peupliers. Depuis que la France, au lendemain de la défaite de 1870,
s'est consacrée au Sacré Cœur de Jésus, dont le culte avait été
préconisé à la fin du XVIIe siècle par une religieuse d'un couvent
de Paray-le-Monial, sainte Marguerite-Marie Alacoque, la ville est
devenue un grand centre de pèlerinage et de ferveur chrétienne.

Afin de souligner cette nouvelle vocation, on a rebaptisé « basilique
du Sacré-Cœur » l'admirable sanctuaire roman dédié, depuis le
XIIe siècle, à Notre-Dame. C'est saint Hugues qui entreprit la
construction de cette église en 1109, pour un prieuré que son
grand-oncle, l'évêque d'Auxerre, avait accepté de placer sous
l'autorité de Cluny. Les travaux de l'immense abbatiale clunisienne
étaient alors bien avancés, et saint Hugues décida de faire de son
église une réplique, à échelle réduite, de celle de l'abbaye mère. Cette

dernière ayant disparu, il n'est pas surprenant que l'on considère
aujourd'hui la basilique de Paray-le-Monial comme le type le plus
achevé de l'architecture clunisienne.

Construite en belle pierre dorée, l'église a traversé les siècles sans
subir de grands dommages. Il semble que le temps et le gel
eux-mêmes aient renoncé à l'entamer. Le narthex, flanqué de deux
tours carrées qui se mirent dans la Bourbince, est antérieur à l'église
proprement dite. Il semble dater de la seconde moitié du XIe siècle,
mais certains auteurs le croient plus ancien. Comme les tours et la
façade, le clocher octogonal planté sur la croisée du transept est
chapeauté d'un toit aigu d'ardoises bleues. En contournant l'édifice,
on découvre le remarquable chevet, dont l'abside, le déambulatoire et
les absidioles s'étagent harmonieusement. L'entrée la plus fréquentée
est située sur le flanc nord, à l'extrémité du transept; la décoration du
portail est — comme d'ailleurs celle de toute l'église — d'une grande
sobriété.

Lorsqu'on pénètre dans la basilique, on est d'abord saisi par
l'élévation de la nef (27 m) et par la science avec laquelle le maître
d'œuvre a disposé les ouvertures qui l'éclairent : les larges fenêtres
dispensent une lumière sans égale, lumière changeante avec les heures
du jour, mais toujours incomparable, toujours émouvante. L'abside,
dont la voûte en cul-de-four est ornée d'une fresque du XVe siècle
qui resta cachée sous un badigeon jusqu'en 1935, est séparée par
d'élégantes colonnes au chapiteau historié du déambulatoire, si
gracieux qu'on l'a surnommé le « promenoir des anges », sur lequel
s'ouvrent trois chapelles rayonnantes.

Après la grandiose simplicité de l'art roman clunisien à son apogée,
la joyeuse fantaisie de la Renaissance : l'hôtel de ville de Paray-
le-Monial occupe la demeure d'un riche drapier du XVIe siècle, ornée
à profusion de coquilles Saint-Jacques et du portrait de tous les rois
de France jusqu'à François Ier. Signalons enfin la massive tour
Saint-Nicolas, aux allures de beffroi, qui est en réalité le clocher
d'une église désaffectée, et la chapelle du monastère de la Visitation,
où est exposée la châsse de sainte Marguerite-Marie.

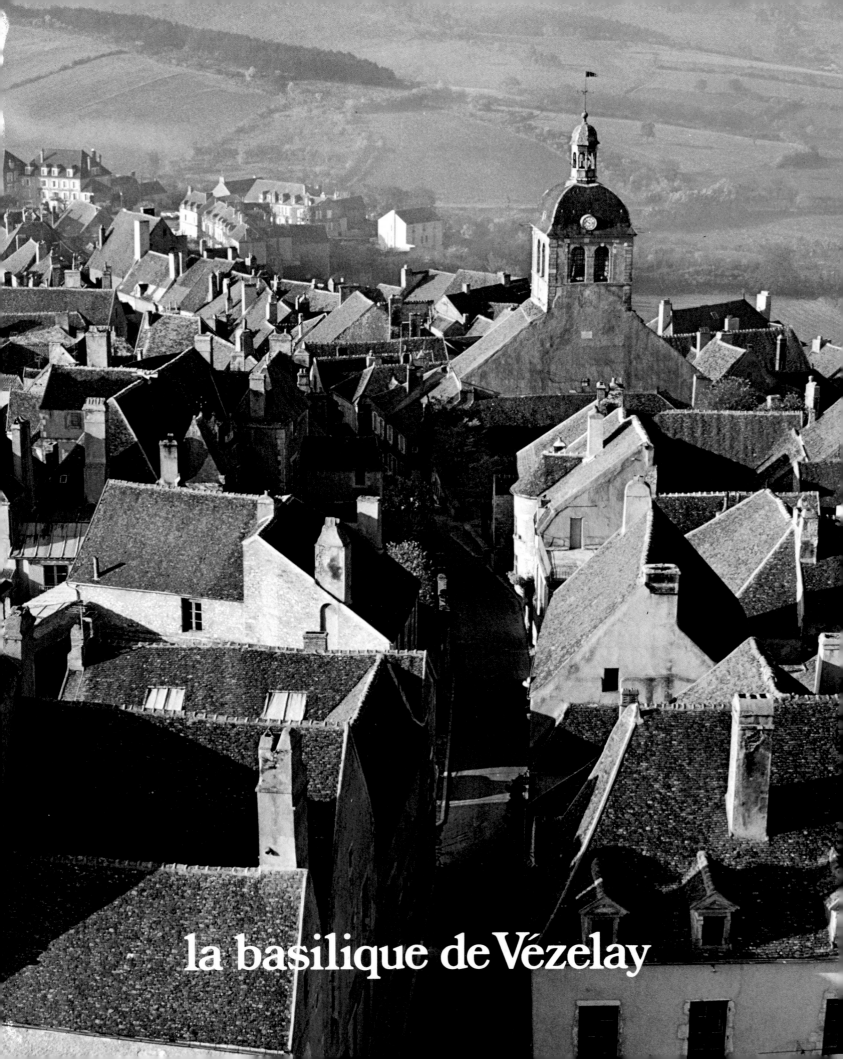

la basilique de Vézelay

A l'origine simple monastère bénédictin,
l'abbaye bourguignonne de Vézelay devint,
grâce à la présence des reliques de Marie-Madeleine
et à sa situation d'étape sur le chemin de Saint-Jacques-de-Compostelle,
un des hauts lieux de la foi médiévale.

*Protégés par une avant-nef,
ou narthex,
les trois portails en plein cintre
de la basilique de Vézelay
ont conservé leurs sculptures d'origine.*

▲ *Au portail de gauche,
tympan et linteau
sont consacrés
aux apparitions du Christ
après la Résurrection.*

Portail central : ▶
*le Christ envoie ses Apôtres
évangéliser les païens,
qui entourent le tympan
d'une ronde fantastique.*

4. Vézelay

*Le tympan du portail central,
un des chefs-d'œuvre
de l'art roman bourguignon,
ouvre sur une longue nef
et un chœur irradié de lumière.*

*La décoration du portail de droite ▲
est inspirée par la naissance du Christ :
Annonciation, Visitation,
Nativité et Adoration des Mages.*

*L'artiste a traité ▶
avec un soin particulier
la robe de l'immense
Christ en gloire
du portail central.*

*À l'entrée de l'église, ▶▶
le narthex, vu ici de la nef,
forme un vaste vestibule
où se tenaient autrefois
les catéchumènes.*

Des arcs-doubleaux ▶
en plein cintre,
aux claveaux alternativement
blancs et bruns,
soutiennent les voûtes
d'arêtes de la nef.

*Le moulin mystique :
Moïse verse le grain
de l'Ancienne Loi,
saint Paul recueille la farine
de la Nouvelle Loi.*
▼

*Déguisée en moine
et accusée de viol,
sainte Eugénie
révèle son sexe devant
le tribunal.*
▼

*Agrémentée par la polychromie des pierres,
la majestueuse ampleur de la nef romane de Vézelay
débouche sur un chœur gothique élevé au XIIIᵉ siècle.
Sur chacun des piliers de la nef,
des chapiteaux historiés illustrent,
avec beaucoup de fantaisie et de réalisme,
des scènes de la Bible et de la vie des saints.*

*Descendant du Sinaï
avec les tables de la Loi,
Moïse retrouve les Juifs
adorant le veau d'or.*
▼

Au sommet d'une colline ►
dominant la vallée de la Cure,
Vézelay, où saint Bernard
prêcha la deuxième croisade.

Vézelay. 9

▲ *Grâce à l'hiver*
qui dépouille les peupliers,
le clocher de Saint-Père
se mire dans la Cure.

C'est au bord du Morvan et de son manteau de forêts, au sommet d'une butte qui domine de 150 m la vallée de la Cure, qu'est située Vézelay. Cette position stratégique en fit une place forte. C'est pourtant son abbaye qui lui valut, avec l'affluence des pèlerins, une incomparable renommée.

Vingt fois moins peuplée aujourd'hui qu'au Moyen Âge, Vézelay reste un des hauts lieux spirituels et artistiques de la France, grâce à l'admirable basilique qui l'a fait surnommer le « Mont-Saint-Michel bourguignon ». Un Mont-Saint-Michel qui aurait perdu sa flèche et qui serait plus trapu, plus ramassé, comme tapi sur son piton. Mais les remparts sont là, ainsi que la pyramide de maisons médiévales, couronnée par la puissante silhouette de l'église.

Grandeur et décadence

L'histoire de Vézelay commence vers 858, lorsque le comte Girart de Roussillon et sa femme Berthe fondent une abbaye de moniales au pied de la colline, à l'endroit où se trouve actuellement Saint-Père. Peu après, des moines bénédictins remplacent les nonnes, puis le couvent, ravagé par l'invasion normande, est abandonné et rebâti au sommet de la croupe.

Le site est à la fois mieux protégé et plus audacieux. Le nouveau monastère est placé non pas sous l'autorité de l'évêque d'Autun ou du comte de Nevers, mais directement sous celle du pape, qui le consacre en 878. Au début du XIe siècle, l'abbaye passe sous l'obédience de Cluny. Bientôt, le bruit court qu'elle détient une précieuse relique rapportée de Jérusalem par un moine : le corps de sainte Marie-Madeleine, la pécheresse repentie, sœur de Lazare le ressuscité. En 1050, l'abbaye se place sous le patronage de la sainte et, en 1058, le pape authentifie officiellement la relique. C'est, pour Vézelay, le début d'une époque riche en miracles.

De partout, les pèlerins affluent. Lorsque Vézelay devient l'une des quatre « têtes de ligne » du pèlerinage de Saint-Jacques-de-Compostelle, l'abbatiale se révèle trop petite pour contenir les foules qui s'y pressent. Aussi édifie-t-on, de 1096 à 1104, un vaste sanctuaire. Détruite en 1120 par un incendie qui fait plus de mille victimes, la nef est reconstruite par l'abbé Renaud de Semur, puis, vers 1150, on lui ajoute un important narthex.

Huit cents moines sont alors établis à Vézelay, et l'agglomération qui entoure l'abbaye est devenue une grande ville. C'est en 1146, le dimanche de Pâques, que sa gloire atteint son apogée. Ce jour-là, sur le versant nord de la colline, on peut reconnaître Louis VII, dit « le Jeune », roi de France; Aliénor d'Aquitaine, son épouse; les comtes de Flandre et de Toulouse ainsi que le gratin des barons bourgui-gnons, entourés d'une foule immense : saint Bernard, l'abbé de Clairvaux, est venu à Vézelay prêcher la deuxième croisade. L'appel de cette grande figure de la chrétienté éveille, en ce lieu, un écho particulier, qui communique aux fidèles l'élan souhaité.

À la fin du XIIe siècle, un transept, un chœur et une abside gothiques — ceux que l'on peut voir aujourd'hui — remplacent les constructions trop exiguës ou ruinées par un nouvel incendie, et, en 1190, c'est à Vézelay que Philippe Auguste et Richard Cœur de Lion se donnent rendez-vous avant le départ pour la troisième croisade. Au XIIIe siècle, Saint Louis vient à plusieurs reprises en pèlerinage à Vézelay, qui est alors au faîte de la gloire et de la puissance. Qui pourrait supposer que le déclin est proche?

En 1279, on découvre à Saint-Maximin, en Provence, un sarcophage contenant les « véritables » reliques de sainte Marie-Madeleine. C'est du moins ce qu'affirment les Provençaux, et le pape leur donne raison. Presque d'un jour à l'autre, la renommée de Vézelay s'effondre, les pèlerins disparaissent, et leurs aumônes avec eux. L'abbaye est suffisamment riche pour subsister jusqu'aux guerres de Religion, mais celles-ci l'achèvent. Pillée, sécularisée, elle végète jusqu'à la Révolution, où elle est vendue comme bien national et rasée, à l'exception de son abbatiale, à laquelle, en 1819, un orage met le feu — une fois de plus!

Lorsque Prosper Mérimée, inspecteur général des monuments historiques, charge Viollet-le-Duc de la restaurer, la Madeleine de Vézelay n'est plus qu'une ruine. Le jeune architecte — il n'a que vingt-six ans — s'attaque à cette tâche écrasante avec une fougue dont certains esthètes lui font maintenant grief, et il la mène à bien en vingt ans. Grâce à lui, nous pouvons aujourd'hui admirer, tel qu'il était au temps de sa splendeur, l'un des plus prestigieux sanctuaires du Moyen Âge.

La façade outragée

De la place du Champ-de-Foire, au bas de la ville, il est possible d'accéder au parvis de la basilique en voiture, mais il est préférable de gravir à pied la colline en empruntant la promenade des Fossés, qui longe les remparts, et de pénétrer dans la ville par la Porte Neuve. Cette approche progressive permet de mieux découvrir l'ancienne collégiale, devenue paroisse en 1791, puis basilique en 1920.

Bien dégagée, entre une place spacieuse et la terrasse boisée du Château — c'était le château des abbés, entièrement disparu —, elle apparaît plus humble et plus grise qu'à distance. De loin, elle semble hautaine, tendue vers le ciel : ici, on la voit assise, familière et tranquille. La lumière plaque de curieux jeux d'ombres sur les

La Charité-sur-Loire, « fille aînée de Cluny »

À la lisière occidentale du Nivernais, au bord de la Loire, qui sépare à cet endroit la Bourgogne du Berry, La Charité-sur-Loire se chauffe au soleil sur son coteau. Un vieux pont de pierre à dix arches traverse le fleuve en biais, en faisant un peu le gros dos. Depuis le XVIᵉ siècle, il remplace le pont de bois que les pèlerins de Saint-Jacques-de-Compostelle, venant de Vézelay, empruntaient après s'être reposés et restaurés dans une abbaye où ils étaient si généreusement accueillis qu'on l'avait surnommée « la Charité ».

Créée au VIIIᵉ siècle, ravagée par les Sarrasins, rebâtie, cette abbaye se rallia à Cluny en 1052 et connut, dès lors, une grande prospérité. Son abbatiale fut, après celle de Cluny, la plus grande de France (elle mesurait 122 m de long sur 37 m de large), et son rayonnement était tel qu'on l'appelait la « fille aînée de Cluny ». Toute une ville vivait à l'ombre du monastère, et une ceinture de remparts protégeait l'ensemble.

Ce sont peut-être ces remparts qui firent le malheur de La Charité-sur-Loire. En tant que place forte, la ville fut âprement disputée durant la guerre de Cent Ans, puis au cours des guerres de Religion : elle passa, à tour de rôle, des mains des Bourguignons à celles des Armagnacs, puis de celles des catholiques à celles des protestants, les uns et les autres rivalisant de brutalité et de vandalisme.

Remaniée, incendiée à deux reprises, mutilée, mal restaurée,

→

▲ *Au XVIᵉ siècle, un incendie isola la tour Sainte-Croix, seule survivante des deux clochers qui flanquaient jadis la façade de la basilique de La Charité-sur-Loire.*

Vézelay : à droite de la façade, la tour Saint-Michel domine de 37 m ▼ *le parvis de la basilique.*

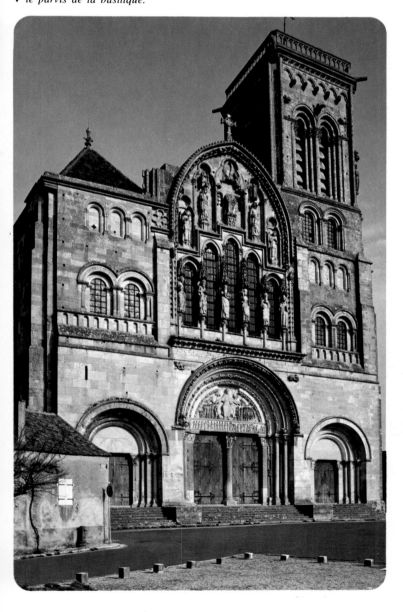

arcatures et les moulures de sa façade, dont la symétrie est rompue par l'absence de tour nord (il n'y en a probablement jamais eu). Une surprise : le vaste fronton central, dont le style gothique détonne au milieu de l'ensemble roman. Mais l'œil, finalement, s'adapte à cet anachronisme. Hormis ceux du fronton et de l'étage supérieur de la tour sud, ajoutés au XIIIᵉ siècle, en pleine période gothique, tous les arcs sont en plein cintre.

Cette façade a plus de huit cents ans. Exposée à tous les outrages, elle en a subi beaucoup : de la part des éléments, mais aussi des vandales, des protestants... et, ajoutent certains avec beaucoup d'ingratitude, de Viollet-le-Duc : on reproche notamment à celui-ci le tympan du portail central, reconstitué d'une façon que l'on peut juger trop plate et trop molle au regard de la facture primitive (pour autant que l'on puisse se faire une idée de celle-ci d'après l'ancien tympan mutilé déposé près du cloître). Les deux autres portails romans de la façade, ouverts dans le prolongement des bas-côtés, n'ont pas de tympan sculpté, et leur ornementation — discrète — se limite à l'archivolte et aux chapiteaux des jambages.

La tour de droite, dite « tour Saint-Michel », s'élève à 37 m. Elle était autrefois couronnée d'une flèche de bois, que la foudre a détruite au XIXᵉ siècle. Des statues de saint Pierre et de saint Michel ornent ses angles. Quant au fronton gothique encastré dans la façade, il comporte, à la partie inférieure, cinq baies en lancette, de hauteur échelonnée, séparées par des statues de saints, et, à la partie supérieure, le Christ trônant parmi les anges, au-dessus de la Vierge et de sainte Madeleine.

Faire le tour de l'édifice donne une idée de son ampleur : 120 m de long au total (Notre-Dame de Paris, 130 m). Le transept, peu profond, dépasse à peine l'alignement des collatéraux, dont les toits de tuile sont enjambés par de puissants arcs-boutants. Au sud, le croisillon droit est prolongé par l'ancienne salle capitulaire de l'abbaye, aujourd'hui transformée en chapelle, le long de laquelle Viollet-le-Duc a reconstitué l'une des galeries du cloître. Dans l'angle du transept et de la nef se dresse un clocher quadrangulaire, sans flèche, de style clunisien, la tour Saint-Antoine : datant du XIIIᵉ siècle, celle-ci mesure 30 m et comporte deux étages de baies jumelées en plein cintre.

Derrière l'église, de la terrasse du Château plantée d'arbres séculaires, on découvre, si les brumes morvandelles le permettent, une partie du Morvan et la vallée de la Cure, et, par tous les temps, les cinq chapelles rayonnantes, éclairées chacune par deux baies en plein cintre, qui se greffent sur le chevet. Puis, par le flanc nord, entre la basilique et le long bâtiment construit au XVIIIᵉ siècle pour loger les moines du chapitre, on revient sur le parvis et l'on pénètre à l'intérieur de la Madeleine de Vézelay pour en découvrir les attraits et les mystères.

l'église Sainte-Croix-Notre-Dame, ancienne abbatiale, reste pourtant l'un des plus beaux témoignages du style roman bourguignon. La nef s'étant partiellement effondrée à la suite d'un incendie, la façade est séparée du reste de l'église. Son portail central a été refait au XVIᵉ siècle; la tour de droite a disparu, mais la tour de gauche, dite « tour Sainte-Croix », est typiquement clunisienne : carrée, ornée de moulures, de corniches, d'arcatures aveugles et de deux étages de baies géminées, elle est coiffée d'une flèche d'ardoise qui a remplacé la flèche de pierre primitive. Au pied, deux portails, aujourd'hui murés, donnaient sur les deux bas-côtés nord de la nef (ultérieurement réunis en un seul). Celui de gauche a conservé son tympan et son linteau romans : le premier représente le Christ bénissant l'ordre de Cluny, le second des scènes de la vie de la Vierge.

Au-delà du portail, une placette occupe l'emplacement des cinq travées disparues de l'ancienne nef. Le bas-côté nord, qui avait survécu à l'incendie, a été transformé en maisons d'habitation. Les quatre travées qui composent la nef actuelle sont défigurées et sans grand intérêt. Datant du XIᵉ siècle, le transept est la partie la plus ancienne de l'édifice : surmonté, à la croisée, d'une coupole octogonale, il abrite de beaux chapiteaux, quatre chapelles et, dans le croisillon droit, un des joyaux de l'art bourguignon, le portail droit de la tour Sainte-Croix, dont le tympan représente la Transfiguration et le linteau l'Adoration des Mages et la Présentation au Temple. Le chœur

roman, remanié au XIIᵉ siècle, est admirable avec ses hautes arcades en tiers-point, ses chapiteaux sculptés et son faux triforium, surmonté d'une rangée de fenêtres en plein cintre et souligné de bas-reliefs. Cinq chapelles rayonnantes entourent le déambulatoire (celle du milieu, en forme de croix, a été refaite au XIVᵉ siècle).

Au sud de la basilique, le croisillon droit se prolonge par un passage couvert, voûté d'ogives, qui conduit à l'ancienne Grande-Rue. Il reste quelques vestiges du monastère, mais aucun n'est d'époque romane. Le plus ancien, la salle capitulaire, date du XIVᵉ siècle. Pittoresque est la promenade des remparts, qui offre de beaux points de vue, notamment du haut de la vieille tour de Cuffy, d'où l'on domine toute la vallée. ∎

▲ *La cathédrale de Nevers, bardée d'arcs-boutants, est flanquée d'une haute tour carrée richement décorée de statues et de balustrades.*

Sous la basilique de Vézelay, une crypte carolingienne, remaniée au XIIᵉ siècle, abrite quelques reliques
▼ *de sainte Madeleine.*

Élégance et fantaisie

Vestibule destiné à accueillir des catéchumènes, des pénitents ou de nombreux pèlerins, le narthex est d'amples proportions. C'est une véritable avant-nef, de construction légèrement postérieure à celle de la nef principale. Comme celle-ci, il comporte deux bas-côtés, ici surmontés de tribunes. Trois travées séparent la façade extérieure de celle de l'église proprement dite. Les quatre piliers cruciformes sont ornés de chapiteaux historiés dont la facture, l'élégance et la fantaisie donnent un avant-goût de ceux de la nef. Beaucoup de feuillages alternent avec des scènes de la Bible, des épisodes de l'Évangile, des monstres fabuleux, des personnages symboliques, des anges et des diables... On chercherait vainement, dans ce foisonnement d'inspirations diverses, un ordre logique, chronologique ou spirituel.

Les trois nefs du narthex communiquent avec celles de l'église par trois portails en plein cintre, richement décorés, auxquels Vézelay

doit une bonne partie de son renom. Le portail central, en particulier, est considéré — avec celui de la cathédrale d'Autun — comme le chef-d'œuvre de la sculpture romane bourguignonne. À doubles vantaux, il comporte un trumeau supportant un linteau au-dessus duquel se déploie un somptueux tympan que son état de conservation a préservé de toute restauration abusive. Ce tympan illustre l'envoi en mission des Apôtres par le Christ, après sa résurrection. Le Christ trône au centre de la composition, les bras écartés, immense et triomphant. Les Apôtres se répartissent de chaque côté, surmontés de huit petites scènes les représentant dans l'exercice de leur mission. La voussure supérieure du portail est garnie de palmettes; la voussure inférieure porte vingt-neuf médaillons sculptés, figurant les travaux des mois et les signes du zodiaque. Païens à évangéliser, Romains et Scythes ornent le linteau en compagnie de peuples moins connus, tels qu'ils apparaissaient aux imagiers chrétiens, qui les ont représentés par des personnages pittoresques et parfois effrayants : Éthiopiens au groin de porc, géants et pygmées, sauvages aux oreilles démesurées. Aux piédroits, on retrouve quelques Apôtres et, au centre supérieur du trumeau, sous les pieds du Christ, un grand saint Jean-Baptiste présentant l'Agneau de Dieu... détruit avec le visage du saint pendant la Révolution. À n'en pas douter, le vent de l'esprit souffle — jusqu'à plisser élégamment la robe du Christ — sur cette fresque. La rigueur de l'ensemble ne réside pas seulement dans son unité thématique, mais aussi dans sa composition sculpturale, car une étude approfondie a permis de constater que la construction géométrique du tympan était basée, de façon systématique, à la fois sur le triangle équilatéral et sur les propriétés du nombre d'or.

Les deux portails latéraux comportent chacun deux voussures, ornées de rosaces et d'entrelacs, et un tympan historié. Celui du portail sud, à droite, évoque l'enfance du Christ, avec l'Annonciation, la Visitation, la Nativité et l'Adoration des Mages; celui du portail nord, à gauche, la vie du Christ ressuscité, avec l'Ascension, la rencontre des disciples d'Emmaüs et la fraction du pain.

Du portail central de la façade intérieure, le visiteur distingue parfaitement les trois parties de la basilique : le narthex, construit au milieu du XIIᵉ siècle; la nef, commencée vers 1120; et le chœur, qui date des dernières années du XIIᵉ siècle et du début du XIIIᵉ — en tout, moins de cent ans.

Une imagerie malicieuse et cruellement réaliste

La nef romane, qui s'élève à 18 m, mesure, à elle seule, 62 m de long et donne au vaisseau une magnifique ampleur, soulignée par la polychromie des pierres et la succession des arcs-doubleaux, auxquels

Les trésors de Nevers

Capitale du Nivernais, le plus occidental des pays bourguignons, Nevers s'étage sur une colline dominant une boucle de la Loire. Surtout connue par ses faïences des XVIIᵉ et XVIIIᵉ siècles, elle possède quelques beaux monuments qui en font une séduisante ville d'art.

L'*église Saint-Étienne*, qui appartenait autrefois à un prieuré dépendant de Cluny, a conservé intacte la pureté de son style roman. La Révolution l'a amputée de ses tours — celle qui couronnait la croisée, réduite à sa souche octogonale, et les deux qui surmontaient la façade —, ce qui lui donne un aspect un peu trapu, mais tout le reste est demeuré tel qu'en 1097, année où fut achevée la construction. Les influences auvergnate et bourguignonne s'y marient harmonieusement. La première se manifeste dans l'ordonnance extérieure du chevet, dont les absidioles rayonnantes, le déambulatoire et l'abside s'élèvent en pyramide vers la croisée, et dans le triforium voûté en demi-berceau qui surmonte les bas-côtés; la seconde, dans la hauteur du chœur et dans les fenêtres ouvertes sous la voûte en berceau de la nef. L'extrême sobriété de l'ensemble, l'absence à peu près complète de décor sculpté et la parfaite homogénéité de la construction font de Saint-Étienne de Nevers un chef-d'œuvre de l'architecture du XIᵉ siècle.

La *cathédrale Saint-Cyr-et-Sainte-Julitte* est, au contraire, une anthologie de tous les styles qui se sont succédé du XIᵉ au XVIᵉ siècle :

leurs claveaux alternativement blancs et sombres donnent un aspect un peu oriental. Elle est éclairée par de hautes fenêtres percées au-dessus des grandes arcades en plein cintre, dans l'axe de chaque travée. Ce type d'architecture romane est dit « brionnais » parce qu'il apparaît pour la première fois dans l'église d'Anzy-le-Duc, en Brionnais, pays d'où était originaire le principal maître d'œuvre de Vézelay, l'abbé Renaud de Semur. Le principe de l'élévation à deux étages fut repris notamment à Saint-Lazare d'Avallon et à Saint-Philibert de Dijon. La nef est voûtée d'arêtes, solution que l'école de Cluny — qui inspira tant d'édifices bourguignons — réservait alors aux collatéraux : une innovation audacieuse.

L'attrait le plus remarquable de la nef de Vézelay réside dans l'imagerie des chapiteaux qui couronnent sa forêt de colonnes. Chacun d'eux mérite un examen attentif. Dus, semble-t-il, à cinq sculpteurs différents, ces chapiteaux sont loin de répondre au souci de dépouillement exprimé par saint Bernard. Il s'agit, en effet, d'une imagerie riche, colorée, malicieuse, lyrique parfois, mais aussi cruellement réaliste. Quelques feuillages marquent des pauses dans cette galerie de scènes tantôt paisibles, tantôt effrayantes, toujours symboliques, où des créatures pures et naïves côtoient une faune fantastique, des envoyés du démon, voire le diable en personne. Parmi les plus célèbres de ces remarquables chapiteaux, on peut citer *la Luxure et le Désespoir* (la Luxure est dévorée au ventre et à la poitrine par deux serpents, tandis que le Désespoir se transperce le corps d'une épée en poussant un cri que l'on imagine épouvantable) et *le Moulin mystique* (Moïse enfourne dans le moulin de la Foi le grain qui symbolise l'Ancienne Loi, tandis que saint Paul recueille la farine représentant la Nouvelle Loi incluse dans l'Ancienne).

Une disparité lumineuse

C'est probablement entre 1195 et 1215 qu'ont été refaits, dans le style gothique, le chœur et le transept, dont la construction antérieure remontait à 1096. Tous deux sont voûtés sur croisées d'ogives et éclairés par des fenêtres en tiers-point.

Plus que le narthex, rapporté comme lui à la nef, le chœur fait sentir la disparité de l'édifice. Pourtant, la nef nous habitue progressivement, en nous y amenant, à ce mystérieux halo de lumière vive, qui soudain éblouit. Parvenus à la croisée du transept, nous découvrons un espace nouveau, inattendu, souligné par un gracieux élancement. On a voulu voir, dans la disposition des colonnes qui séparent le chœur du déambulatoire et dans celle des colonnettes qui jaillissent en porte à faux des piles pour soutenir les voûtes, des intentions symboliques. Les onze colonnes qui entourent l'autel représenteraient

Avec ses arcs en tiers-point et ses croisées d'ogives, le chœur lumineux de la Madeleine de Vézelay ▼ est typiquement gothique.

▲ *Une réussite de la Renaissance :
la façade du palais ducal de Nevers,
avec son toit d'ardoises,
ses tours d'angles à pans coupés
et sa tour d'escalier centrale.*

la crypte, le transept et l'abside occidentale (car, fait exceptionnel, la cathédrale possède deux absides, une à chaque extrémité) sont romans; la nef, le chœur, l'abside orientale et la base du clocher carré sont gothiques; les chapelles latérales sont flamboyantes et les deux étages supérieurs du clocher datent de la Renaissance. Enfin, des fouilles ont mis au jour, sous le déambulatoire, un ancien baptistère du VIe siècle, remanié au IXe. À l'extérieur, on admire la majesté du grand vaisseau, émergeant d'une forêt de contreforts et d'arcs-boutants avec sa tour haute de 52 m; à l'intérieur, l'escalier ajouré du croisillon sud, la fresque romane de l'abside occidentale et la Mise au Tombeau polychrome de la crypte.

Le *palais des ducs de Nevers* est une très belle demeure Renaissance, commencée à la fin du XVe siècle et achevée au XVIe. La façade, flanquée de deux tourelles d'angle octogonales, offre un plaisant contraste entre l'ocre de ses pierres et le gris-bleu des ardoises de son haut toit orné de lucarnes sculptées et surmonté de cheminées en tuyaux d'orgue. Au centre se dresse une très belle tour d'escalier à pans coupés, abondamment percée de fenêtres et ornée de bas-reliefs (modernes); sa flèche d'ardoise, terminée par un campanile, s'encadre entre les bonnets pointus des deux grosses tours rondes de la façade postérieure, qui dépassent le faîte du toit.

Une partie des remparts qui ceinturaient jadis la ville subsiste, entre la Loire et la belle *porte du Croux*, édifiée au XIVe siècle lorsque l'ancienne enceinte, devenue trop

*Vaste porche à trois baies
hérissé de pinacles,
pignon peuplé de statues
et clocher très ouvragé :*
▼ *l'église gothique de Saint-Père.*

les onze Apôtres qui participaient à la Cène après le départ de Judas, Jacques et Jean, frères par le sang, étant figurés par des colonnes jumelées. Les douze colonnettes qui soutiennent les baies jumelles pourraient figurer les douze Apôtres, y compris Judas, dont la présence serait marquée par le seul pilier carré; huit groupes de trois colonnettes symboliseraient les vingt-quatre vieillards de l'Apocalypse, et les cent quarante-quatre colonnettes (douze fois douze, le nombre des tribus d'Israël) qui ornent les chapelles illustreraient la multitude des saints.

Sous le chœur, la crypte, d'origine carolingienne, fut transformée à la fin du XIIe siècle. Des voûtes d'ogives ont remplacé les voûtes en berceau que soutenaient, au IXe siècle, des poutres en bois. Des fresques qui l'ornaient, on distingue encore, sur une clef de voûte de la travée centrale, un Christ assis, du XIIIe siècle. Cette sombre et émouvante crypte abrite les reliques présumées de sainte Madeleine.

Un foyer d'artistes et d'artisans

En quittant la Madeleine de Vézelay et le souvenir de la ferveur médiévale qui la hante encore, les vieilles pierres des ruelles pittoresques du bourg, qui descendent jusqu'à la porte du Barle et à la place du Champ-de-Foire, évitent une transition trop brutale avec la civilisation moderne.

À l'entrée de l'ancienne infirmerie-hospice, une inscription rappelle que Louis VII logea sinon dans la maison, du moins dans celle qui l'a précédée. Plus loin, c'est l'ancienne demeure (XVIIe s.) de l'intendant du maréchal de Vauban, qui abrite aujourd'hui la mairie. En face, la tourelle Gaillon (XVIe s.), avec son escalier à vis. Sur la droite, place Borot, s'élève la tour de l'Horloge, clocher de l'ancienne église Saint-Pierre (ou Saint-Père-le-Haut), édifiée au XIIe siècle et éboulée, dans sa majeure partie, en 1787. Sur la gauche, au-dessus des baies de la maison des Colombs (XVe s.), on peut lire : «Comme colombe, humble et simple seray et à mon nom mes mœurs conformeray.» Place Belle-Croix, les moines avaient creusé un puits de 70 m de profondeur et de 5 m de diamètre, comblé en 1770. Plus loin, dans la Grande-Rue Saint-Étienne, se trouvent : à droite, la maison natale d'un des théoriciens du protestantisme, Théodore de Bèze (1519-1605), et l'hôtel de la Maréchaussée, du XIIIe siècle; à gauche, la maison où s'éteignit, en 1944, l'écrivain Romain Rolland et, plus bas, les restes de l'église Saint-Étienne (XIIe s.), désaffectée depuis 1790. On s'étonne du grand nombre de caves qui débouchent sur la chaussée : c'est une tradition qui remonte au Moyen Âge, au temps où les pèlerins de Compostelle se réfugiaient, pour dormir, dans les immenses sous-sols voûtés des maisons de Vézelay.

La petite cité ne compte plus guère que 500 et quelques habitants, mais, aujourd'hui plus encore qu'hier, c'est par la basilique qu'elle vit. Importante étape touristique, ville d'art, Vézelay est devenue un foyer d'artistes et d'artisans-créateurs.

Au pied de la colline, *Saint-Père* possède, avec son élégante église Notre-Dame, un des plus beaux témoignages du style gothique bourguignon. Au XIIIe siècle, un ménage, dont on ignore l'identité mais dont les tombeaux se trouvent dans l'église, fit construire ce sanctuaire à l'emplacement de l'abbatiale ruinée du monastère de moniales fondé au IXe siècle par le comte Girart et sa femme. La façade, extrêmement riche, dont le fronton triangulaire, creusé de niches abritant des saints, rappelle celui de Vézelay, est précédée d'un porche très important, ajouté au XIVe siècle. Ouvert sur trois côtés par de vastes baies, voûté d'ogives, surmonté de pinacles à crochets et abondamment orné dans le style flamboyant, ce porche monumental abrite les statues des fondateurs.

exiguë, dut être agrandie. Sa puissante silhouette carrée, encore épaissie par des contreforts, est allégée par un toit aigu, des tourelles en encorbellement et une rangée de mâchicoulis. L'intérieur est assez spacieux pour abriter, sur deux étages, un petit musée archéologique; l'ancienne salle des gardes, voûtée d'ogives, contient une intéressante collection de sculptures romanes, alors que la salle supérieure est réservée aux statues et aux objets antiques.

Le *musée municipal Frédéric-Blandin*, lui, rappelle que c'est à Nevers que se trouvait, au XVIIe siècle, la manufacture de faïences la plus importante de France. On peut y admirer tout ce qu'a produit cette industrie d'art, introduite dans la ville, à la fin du XVIe siècle, par des artistes que le

▲ *Ancienne entrée fortifiée de la ville, la porte du Croux est le monument le plus populaire de Nevers.*

duc de Nevers, Louis de Gonzague, était allé chercher en Italie. Jusqu'au milieu du XVIIe siècle, cette origine italienne influença fortement la production, puis celle-ci s'orienta vers un style plus personnel, parfois agrémenté de motifs persans. Au XVIIIe siècle, les faïenciers de Nevers, à court d'inspiration, se consacrèrent surtout à la copie : leurs faïences imitent celles de Saxe, de Delft, de Rouen, de Moustiers... La Révolution porta un coup très dur à leur industrie, qui essaya de survivre en se spécialisant dans les plats et assiettes à motif patriotique, dans un style dit «franco-nivernais», caractérisé, notamment, par le remplacement systématique du rouge par le jaune. Actuellement, la faïencerie, réduite à un petit nombre d'entreprises, produit surtout des articles de consommation courante.

→

Le bastion de la Petite-Porte, un des éléments de la ceinture de remparts ▼ *qui enferme encore Avallon.*

Avallon, balcon sur le Morvan

À l'est de Vézelay, Avallon, que l'on découvre en arrivant par la fraîche vallée du Cousin, est bâtie sur un promontoire de granite qui s'avance en proue au-dessus de la rivière, longé à l'est et à l'ouest par des ravins verdoyants. Porte et balcon ouverts sur le Morvan, ancienne place forte, Avallon a conservé de son passé guerrier une bonne partie de ses remparts, bordés de jardins en terrasses et jalonnés de tours dont les plus spectaculaires sont la tour de l'Escharguet, en très bon état de conservation, et la tour Beurdelaine, édifiée en 1404 par le duc de Bourgogne Jean sans Peur et complétée en 1590 par un bastion surmonté d'une échauguette.

À l'intérieur de l'enceinte, au point culminant de la cité, la porte de la Boucherie, seul vestige de l'ancien château fort, est surmontée, depuis le XVe siècle, d'un très joli beffroi, la tour de l'Horloge, dont le campanile chapeauté d'ardoises domine les toits de tuiles brunes de la vieille ville.

Le monument le plus intéressant d'Avallon est l'étonnante église Saint-Lazare. Étonnante, elle l'est à plus d'un titre. D'abord par cette sorte d'effacement qui caractérise sa position par rapport à la place. Ensuite par sa façade, bâtie en biais par rapport au corps de l'édifice. Elle a été construite vers 1140, avec une nef à deux étages et voûtes d'arêtes, comme celle de Vézelay, à l'emplacement d'un sanctuaire du IVe siècle dont subsiste la crypte, sous le chœur actuel. Ce sanctuaire avait été agrandi au XIe siècle par les moines de Cluny : de cette époque restent les portails, l'abside et les deux absidioles en cul-de-four. Les modifications apportées avaient été rendues nécessaires par l'afflux des pèlerins venus vénérer le chef de saint Lazare, relique offerte par le duc de Bourgogne à son retour de Palestine et passant pour protéger de la lèpre. Endommagée en 1633 par l'effondrement du clocher, la façade n'a conservé que deux de ses trois portails romans, malheureusement assez abîmés. Celui de gauche, qui était le grand portail central, a perdu son tympan et son linteau sculptés. Cinq voussures ornent son archivolte : on y découvre quelques angelots, les vieillards de l'Apocalypse, des feuilles d'acanthe et de vigne, les travaux des mois et les signes du zodiaque. Au piédroit, une statue-colonne rapportée, élégante dans sa raideur, représente un prophète. Roses, giroflées et arums envahissent les voussures du petit portail de droite, maintenant muré, dont on admire les colonnes torses, leurs chapiteaux historiés et leurs soubassements ciselés. Le tympan et le linteau, très mutilés, laissent deviner une Adoration des Mages et la Présentation de Jésus au Temple. À l'intérieur, la principale originalité de l'église réside dans la plongée en profondeur de la nef, qui, par paliers successifs, descend vers le chœur, situé à 3 m en contrebas du seuil.

Avant de quitter la préfecture de la Nièvre, signalons encore : le *beffroi* du XVe siècle; l'ancienne *chapelle Sainte-Marie,* désaffectée, qui appartenait autrefois à un couvent de Visitandines et dont la façade Renaissance est décorée avec toute la luxuriance du style Louis XIII; le *couvent de Saint-Gildard,* enfin, où vécut et mourut sainte Bernadette Soubirous, l'héroïne des apparitions de Lourdes, dont le corps est exposé dans une châsse. ∎

Fontenay, deuxième fille de Clairvaux

Au fond d'une vallée boisée de l'Auxois se cache l'une des plus belles abbayes cisterciennes, celle de Fontenay.

Saint Bernard, abbé de Clairvaux, avait déjà fondé Trois-Fontaines, près de Saint-Dizier, lorsque, en 1118, avec douze religieux, il créa l'ermitage qui allait devenir l'abbaye de Fontenay.

Les compagnons de saint Bernard s'étaient établis au pied d'une source à laquelle on attribua, jusqu'au XVIe siècle, des vertus miraculeuses, mais, leur nombre croissant rapidement, ils allèrent ensuite s'installer plus bas, au bord du ruisseau de Fontenay. Un site particulièrement solitaire et, de surcroît, humide et marécageux. Le monastère fut conçu afin d'appliquer strictement le principe d'autarcie de l'ordre de Cîteaux, et sa construction fut facilitée par la générosité du riche évêque de Norwich, Ebrard, venu prendre sa retraite à Fontenay. En 1147, le pape Eugène III consacrait l'église en présence de saint Bernard.

Après plusieurs siècles d'une enviable prospérité, l'abbaye de Fontenay commença à décliner dans la seconde moitié du XVIe siècle, victime du régime de la commende (nomination des abbés par faveur royale) et des troubles amenés par les guerres de Religion. Après la Révolution, le monastère fut transformé en papeterie. Celle-ci changea plusieurs fois de propriétaire avant que l'un d'eux ne songe, en 1906, à restaurer l'abbaye. Les bâtiments industriels furent démolis, et l'ancienne abbaye de Fontenay retrouva l'aspect qu'elle avait avant sa désaffectation : l'absence d'ornementation rend le style cistercien peu fragile.

Édifiée sur le plan traditionnel de l'ordre, l'abbaye se compose d'un

▲ *Adossé à l'église, un des plus beaux cloîtres cistercie celui de l'abbaye de Fontenay, seconde «fille» de Clairvaux.*

Avallon : la tour de l'Horloge, la maison des sires de Domecy et les portails romans de Saint-Lazare
▼ *composent un bel ensemble médiéval.*

En suivant le Cousin et la Cure

Au-delà d'Avallon, le Cousin s'enfonce dans une gorge sinueuse et boisée, où il se fraie péniblement un chemin entre les rochers. Une route fort pittoresque s'y faufile avec lui jusqu'à *Pontaubert,* dont l'église romane, très typique du style bourguignon avec sa voûte d'arêtes, fut bâtie au XIIe siècle par les Hospitaliers de Saint-Jean-de-Jérusalem. Précédée d'un porche gothique, elle est surtout intéressante par son ensemble statuaire.

Un peu plus loin, au pied du Montmarte, une colline de 354 m d'altitude qui porte les restes d'un temple gallo-romain, *Vault-de-Lugny* possède une belle église du XVe siècle à chevet plat. Son attrait principal est l'immense fresque Renaissance, illustrant la Passion, qui court tout au long de la nef et du chœur. Près du village se dresse un château du XVe siècle, avec douves, entrée fortifiée et donjon.

Le Cousin rejoint la Cure en aval de Vézelay, près de *Sermizelles* dont l'église s'ouvre par un portail du début du XIIe siècle. La colline qui domine le village — et qui porte, à côté de la vieillotte tour Malakoff, la très moderne chapelle Notre-Dame-d'Orient — fait face à une série d'escarpements boisés qui escortent la rivière jusqu'à la vallée où se prélasse *Arcy-sur-Cure.*

Le village d'Arcy possède un château du XVIIIe siècle et un manoir du XVIe, mais il doit surtout sa notoriété aux grottes creusées dans les hautes falaises calcaires qui longent la rive gauche de la Cure, en amont. «On voit dans toutes ces grottes, écrivait Buffon, des représentations de diverses sortes d'animaux, de fruits, de plantes, de meubles, d'ustensiles, de parties de bâtiments, des rustiques, des draperies...» En effet, l'imagination aidant, stalactites, stalagmites et concrétions variées créent un univers étrange et merveilleux. Dans la «Grande Grotte», qui abrite un petit lac, on se promène sur près de 900 m dans de hautes salles séparées par d'étroits couloirs, et de nouvelles galeries ont été découvertes au-delà du «Lavoir des Fées». D'autres grottes, qui ne sont pas aménagées, peuvent néanmoins être visitées, telles la «Grotte des Fées», qui recélait des ossements d'animaux préhistoriques, ou la «Grotte du Cheval», dont les parois portent des dessins de mammouths de l'époque aurignacienne.

À l'est d'Avallon, sur le Serein — un affluent du Cousin — *Sainte-Magnance* s'enorgueillit de deux manoirs, l'un gothique et l'autre Renaissance, et d'une église du XVIe siècle, surmontée d'un clocher en forme de dôme, qui contient le tombeau de sainte Magnance : datant du XIIe siècle, celui-ci retrace, par ses bas-reliefs, la vie de cette dame romaine qui procéda au retour des cendres de saint Germain d'Auxerre, décédé à Ravenne au Ve siècle. Non loin de là, l'église romane de *Savigny-en-Terre-Plaine* abrite des pierres tumulaires et des tombeaux des XVIe et XVIIe siècles.

cloître autour duquel s'ordonnent les divers bâtiments monastiques. Une vaste enceinte, élevée à la fin du XIVe siècle contre les exactions des Grandes Compagnies, enferme des constructions annexes : conciergerie, boulangerie, hostellerie des étrangers et un grand bâtiment qui abritait, entre autres, une forge, un moulin et des greniers.

L'abbatiale est d'une sobriété qui frise l'austérité. À peine plus haute que les autres constructions, elle ne se signale à l'attention par aucun clocher. De toutes les églises cisterciennes qui nous sont parvenues intactes, c'est la plus ancienne et la plus dépouillée. Son plan en croix latine ne comporte que des lignes droites et des angles droits. Recouverte extérieurement de tuiles rondes, elle se compose : d'une nef voûtée en berceau brisé,

avec arcs-doubleaux; de bas-côtés dont chaque travée est couverte par une voûte transversale, également en berceau brisé; d'un transept peu saillant, avec des chapelles rectangulaires sur chaque croisillon; et d'un chœur exigu, surélevé de deux marches et fermé par un chevet plat. La façade est percée d'un portail et de sept fenêtres sur deux rangées, toutes en plein cintre, comme celles des bas-côtés, des chapelles et de la croisée du transept (la nef est aveugle). Seules trois des six baies qui éclairent le chevet sont en tiers-point. Sur le pignon du croisillon sud, un modeste campanile à deux arcades porte les deux cloches qui devaient, selon saint Bernard, suffire aux besoins d'un monastère.

Le cloître est l'un des plus harmonieux que nous ait légués

Dans la vallée du Cousin, l'église de Vault-de-Lugny, massive, triangulaire, ▼ *date du XVe siècle.*

Clamecy, « perle des Vaux d'Yonne »

À l'ouest de Vézelay, au carrefour du Morvan, du Nivernais et de la basse Bourgogne, Clamecy, surnommée la « perle des Vaux d'Yonne », est juchée sur un belvédère au confluent du Beuvron et de

l'Yonne. Pour l'écrivain Romain Rolland (prix Nobel 1915), qui y naquit en 1866, c'était « la ville aux beaux reflets et aux souples collines »; il y passa son enfance, qu'il raconte dans *le Voyage intérieur*. La rue de sa maison natale porte désormais son nom, et un buste y perpétue sa mémoire.

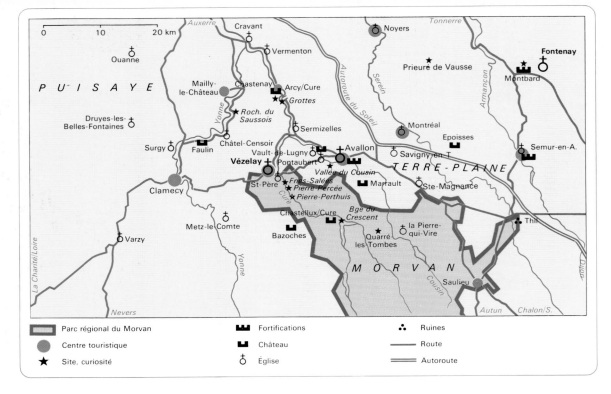

Legend:
- Parc régional du Morvan
- Centre touristique
- Site, curiosité
- Fortifications
- Château
- Église
- Ruines
- Route
- Autoroute

l'architecture romane. Chacune de ses galeries s'ouvre par quatre grandes arcades, divisées en deux petites arches reposant sur des colonnettes géminées dont les chapiteaux sont sobrement ornés de feuilles d'eau. La salle capitulaire, la salle des moines et le chauffoir sont voûtés sur croisées d'ogives; le réfectoire a disparu, et le dortoir du premier étage, qui a été en partie reconstruit, possède une magnifique charpente en châtaignier. Enfin, à l'écart, entre la salle des moines et un pan de mur de l'ancien réfectoire, on remarque un petit bâtiment du XVIe siècle, dont la porte est typiquement Renaissance : c'est l'« enfermerie », autrement dit la prison, où les abbés faisaient enfermer les coupables, religieux ou laïcs, sur lesquels s'exerçait leur juridiction. ■

Durant des siècles, Clamecy fut d'abord un port dont le flottage des bois « à bûches perdues » faisait la fortune. Arrêtées par des barrages, les billes de bois venues du Morvan y était harponnées par les « triqueurs », sorties de l'eau, triées, classées, empilées et séchées avant d'être assemblées en de vastes radeaux pour poursuivre leur voyage jusqu'à Paris. Sur le pont de Bethléem, la statue du *Flotteur* rappelle cette fructueuse activité.

Devant le pont, un hôtel a remplacé la chapelle qui porta, jusqu'à la Révolution, le titre de « cathédrale de l'évêché de Bethléem ». Clamecy hébergea en effet pendant six cents ans les évêques de Bethléem, chassés de leur diocèse palestinien lorsque Saladin s'empara de Jérusalem. Depuis 1927, une nouvelle « église de Bethléem », en ciment armé, évoque leur souvenir.

Dans la vieille ville, les ruelles tortueuses abritent de nombreuses maisons anciennes à pans de bois. Les plus belles de ces augustes demeures sont probablement la « maison du Tisserand », du XVᵉ siècle, l'ancien hôtel des Monnaies et la maison à tourelle de la place de l'Église, mais les vieux logis à encorbellement de la rue de la Tour et de la rue Bourgeoise contribuent également à composer un cadre plein de charme à l'un des plus beaux édifices gothiques de Bourgogne, l'église Saint-Martin. Commencée au XIIᵉ siècle, cette église ne fut achevée qu'au XVᵉ, et Viollet-le-Duc la restaura vers 1840, comme il se doit. Un porche Renaissance, dont les sculptures illustrent la vie de saint Martin, précède la façade flamboyante, flanquée d'un puissant clocher carré de même style et aussi richement orné qu'elle. À l'intérieur, la nef sans transept est à triple élévation, avec triforium et galerie de circulation, et ses bas-côtés se prolongent, de part et d'autre du chœur, jusqu'au chevet plat.

En aval de Clamecy, quelques sites touristiques s'offrent au visiteur qui se laisse emporter par l'Yonne comme jadis les bûches du Morvan. Une petite route ombragée suit de près la rivière, que double ici le canal du Nivernais. Après *Surgy*, où une jolie flèche de pierre domine l'église du XVᵉ siècle, les rochers de Basseville offrent aux amateurs quelques belles possibilités d'escalade.

Sur la rive droite, le *château de Faulin* est une remarquable demeure Renaissance, enveloppée par une enceinte fortifiée, hérissée de tours et bordée de fossés. Il sert aujourd'hui de ferme.

Au confluent du Charmoux et de l'Yonne, la petite cité de *Châtel-Censoir* s'accroche au flanc d'une colline. L'ancienne collégiale Saint-Potentien possède un chœur roman du XIᵉ siècle, édifié au-dessus d'une crypte, et une salle capitulaire du XIIᵉ siècle; le reste de la construction est du XVIᵉ siècle, et les portails Renaissance ne manquent pas d'élégance. Après Châtel-Censoir, au-dessus du large plan d'eau de l'Yonne, s'élèvent des falaises calcaires, très abruptes et très recherchées des varappeurs.

Franchissant le canal bordé de peupliers, puis l'Yonne sur un vieux pont portant une chapelle gothique dédiée à saint Nicolas, on atteint, sur la rive gauche, *Mailly-le-Château*, un bourg fortifié dominant un méandre de la rivière. Du château des comtes d'Auxerre, il ne reste que quelques vestiges, mais le site est charmant, et l'église est du XIIᵉ siècle, comme la chapelle du cimetière.

L'Yonne rejoint la Cure, qui arrive de Vézelay, en amont de *Cravant*, une petite place forte médiévale à laquelle il reste quelques fragments de remparts et une belle tour du XIVᵉ siècle, dite « de l'Horloge ». L'église, de style gothique, possède un chœur Renaissance, entouré d'une multitude de chapelles plus décorées les unes que les autres, et un beau clocher carré de la même époque.

▲ *L'histoire de saint Martin, à qui est dédiée l'église de Clamecy, est racontée par les voussures du portail flamboyant.*

les grandes nefs
de l'Yonne

◄ *Une tour inachevée
rend la façade
de la cathédrale d'Auxerre
curieusement triangulaire.*

▲ *Entre la cathédrale Saint-Étienne
et l'église Saint-Germain,
la préfecture, ancien palais épiscopal,
et le clocher isolé de Saint-Jean.*

*A*u cœur du vignoble le plus septentrional de la Bourgogne, Auxerre mire dans l'Yonne ses maisons anciennes, ses monuments du Moyen Âge et sa grande cathédrale gothique.

Bien que le temps et les guerres de Religion aient durement éprouvé
sa pierre trop tendre et ses sculptures trop fragiles,
la cathédrale Saint-Étienne d'Auxerre possède encore une décoration foisonnante,
qui constitue l'un des plus beaux ensembles de la statuaire française.

4. Grandes nefs de l'Yonne

▲ *La luminosité de la nef
contraste avec la pénombre
du bas-côté.*

▲ *Le portail
du croisillon nord,
de style flamboyant,
est consacré
à saint Germain
et aux premiers
évêques d'Auxerre.*

◄ *Cette arche de Noé
navigue
sur l'ébrasement
du portail gauche
de la façade.*

Après la haute époque
de l'art gothique,
le XVe et le XVIe siècle,
qui virent triompher
le style flamboyant
et s'épanouir la Renaissance,
ont paré Auxerre
de leurs séductions.

6. Grandes nefs de l'Yonne

▲ Saint Étienne,
patron de la cathédrale,
est adossé au trumeau
du portail central.

Un beffroi de bois, ▶
revêtu de plomb,
surmontait la tour de gauche;
il fut démoli au XIXᵉ siècle.

Dans le trésor, ▲
une châsse polygonale en ivoire,
illustrée de scènes de la Bible,
datant du Xᵉ siècle.

Première en date des grandes cathédrales gothiques,
Saint-Étienne de Sens a conservé de ses lointaines origines quelques belles sculptures,
des vitraux anciens, un des plus riches trésors de France et une imposante majesté.

Joigny étage ▶
ses maisons
au flanc de la côte
Saint-Jacques,
sur la rive droite
de l'Yonne.

▲ *L'église Saint-Pierre
et le clocher carré de Notre-Dame
dominent les toits bruns
de Tonnerre.*

Au nord de la Bourgogne, le département de l'Yonne correspond à peu près à la région que l'on appelait autrefois «basse Bourgogne», parce que la capitale de la province ne s'y trouvait pas. Son relief n'y était pour rien, mais il se trouve que celui-ci est peu accidenté et paraît apaisant quand on vient de quitter la rudesse des monts du Morvan. Aujourd'hui, la contrée est plutôt surnommée «Bourgogne parisienne», depuis que l'autoroute l'a mise à portée des habitants de la capitale et que les résidences secondaires y fleurissent.

Mais aucune de ces deux appellations n'est tout à fait exacte. En fait, l'Yonne est un puzzle : si l'Auxerrois, au centre, est bien bourguignon, avec ses vignobles de Chablis et d'Irancy, le Sénonais, au nord, moins morcelé, tire sur l'Île-de-France : il annonce la Brie et ses grandes cultures. Et, entre les deux, c'est la Champagne qui s'enfonce, tel un coin, avec le pays d'Othe, tout de calcaire et de forêts. À l'ouest, la Puisaye est encore un autre monde, transition vers le Gâtinais et même le Nivernais, c'est-à-dire vers la Loire. Ce département hybride ne tire un semblant d'unité que des verdoyantes et fertiles vallées de l'Armançon et de l'Yonne. C'est un carrefour, un seuil à quatre orientations, ouvert sur le Bassin parisien au nord-ouest, sur la vallée de la Loire à l'ouest, sur celle du Rhône au sud-est, et sur les marches champenoises au nord-est.

La « jeune fille qui chante » d'Auxerre

Capitale de la basse Bourgogne, entourée de vignobles aux crus réputés, Auxerre est comme accoudée sur une colline qui domine la rive gauche de l'Yonne. Les larges boulevards qui ceinturent la vieille ville enchâssent dans une couronne de verdure un dédale de rues étroites, bordées de maisons à pans de bois. Avant d'y pénétrer, on peut s'en faire une idée du pont Paul-Bert, comme le fit le poète et essayiste Charles du Bos, qui estima que ce paysage était «la perfection même». C'est de là que l'on découvre le mieux l'élan vertical des trois principaux monuments religieux de la ville : la cathédrale Saint-Étienne, l'ancienne abbaye Saint-Germain et l'église Saint-Pierre.

Dédiée à saint Étienne, premier martyr (diacre de la première communauté chrétienne de Jérusalem, il fut lapidé par les Juifs), la cathédrale est sans doute le plus beau sanctuaire de l'Auxerrois. L'architecte Viollet-le-Duc la considérait même comme l'une des plus belles cathédrales de France, «l'un des types de l'architecture gothique les plus parfaits».

C'est entre 386 et 415 que l'évêque saint Amâtre fonda la première cathédrale d'Auxerre. Incendiée au IXᵉ siècle, elle fut rebâtie en 1030, dans le style roman, par l'évêque Hugues de Chalon. Puis elle fut reconstruite, à partir de 1215, par le prélat Guillaume de Seignelay et son successeur Henri de Villeneuve. Cette fois, on fit appel à ce que l'on dénommait alors le style «français» (on ne parlait pas encore de «gothique»), c'est-à-dire celui des églises ogivales qui s'élevaient dans les diocèses voisins (à Sens, notamment). L'édifice ne fut terminé qu'au XVIᵉ siècle, à l'exception de la tour sud, restée inachevée.

Mᵍʳ Chesnelong, archevêque de Sens et évêque d'Auxerre de 1912 à 1931, avait coutume de désigner ainsi ses deux cathédrales : pour lui, Sens était la *mater potens* (la mère pleine de force), Auxerre, la *virgo cantans* (la jeune fille qui chante). Sous ses tuiles roses, Saint-Étienne d'Auxerre charme en effet par sa grâce et sa légèreté. Ses dimensions ne sont pas énormes : moins de 100 m de longueur intérieure, 39 m de largeur au transept, 29,50 m de hauteur sous voûte. Comme une débutante sur son carnet de bal, elle a inscrit dans la pierre, au fil des siècles, ses rendez-vous avec les maîtres d'œuvre : le XIᵉ siècle lui a donné la crypte; le XIIᵉ, la sacristie, au nord du déambulatoire; le début du XIIIᵉ, le chœur et la partie inférieure de la tour méridionale; la fin du XIIIᵉ, la partie inférieure de la tour nord; le XIVᵉ, la nef, la façade, le transept, le portail méridional; le XVᵉ, le haut de la tour nord, le sommet de la façade.

Bien que certaines statues n'aient jamais rejoint les niches prévues à leur intention, la façade dissymétrique de la cathédrale Saint-Étienne, dominée par les 68 m de sa seule tour nord, est richement décorée, avec quatre étages d'arcatures, de gables et de pinacles. Entre les puissants contreforts des tours, une admirable rosace de 7 m de diamètre, inscrite dans une arcade en tiers-point et sommée d'un fronton triangulaire, surmonte le portail central. Ce portail paraît construit en retrait, le grand gable qui couronne ses profondes voussures se trouvant au niveau des contreforts.

La plupart des sculptures ont malheureusement beaucoup souffert des intempéries qui érodent le calcaire, mais surtout des mutilations irréparables que leur ont fait subir les iconoclastes huguenots pendant les guerres de Religion. Elles n'en constituent pas moins l'un des plus beaux ensembles de la statuaire française.

Le portail central réunit certains des thèmes habituellement traités par les artistes du Moyen Âge : Christ entouré d'anges au tympan, Jugement dernier au linteau, paraboles des Vierges sages et des Vierges folles sur les piédroits, scènes de la vie des Apôtres sur les voussures, histoire de Joseph et parabole de l'Enfant prodigue sur les soubassements. On y trouve même, ce qui est plus rare, quelques figures païennes : un Éros nu et sommeillant, un Hercule et un Satyre.

Les amours de David et de Bethsabée occupent les arcatures trilobées du portail de droite. Au-dessus, dans les écoinçons, des

En suivant l'Armançon

Patrie du mystérieux chevalier d'Éon, *Tonnerre* est blottie sur la rive gauche de l'Armançon, au milieu des vignes. Peu de monuments ont survécu à l'incendie qui ravagea la ville au XVIᵉ siècle, et l'église Notre-Dame a été sérieusement endommagée par un bombardement lors de la dernière guerre. Heureusement, la magnifique salle des malades de l'hôpital fondé en 1293 par Marguerite de Bourgogne est restée à peu près intacte. Un vieux toit pentu, de près de 100 m de long, couvre un bâtiment d'un seul tenant, large de 19 m et haut de 20 m. Son immense charpente de chêne en fait un véritable vaisseau de bois. Une extrémité de la salle servait de chapelle, et les quarante malades pouvaient suivre la messe de leur lit. Le tombeau de Marguerite de Bourgogne orne le chœur, mais le véritable joyau de l'hôpital se trouve dans une chapelle en contrebas : il s'agit d'une Mise au tombeau, superbe exemple de sculpture bourguignonne, offerte en 1454 par le marchand Lancelot de Buironfosse. Tonnerre possède également une curiosité naturelle : la fosse Dionne, un bassin, servant de lavoir, qui est alimenté par une rivière souterraine.

Saint-Florentin, réputée pour ses fromages, domine le confluent de l'Armançon et de l'Armance. On s'y arrête pour découvrir le superbe panorama qu'offre le chemin de crête du mont Avrelot, mais surtout pour les vitraux de l'église, symphonie de rouge, de violet, de bleu, de vert et de jaune d'or,

→

▲ *L'hôpital de Tonnerre est dominé par l'immense toit de l'ancienne salle des malades, construite sous Marguerite de Bourgogne.*

Richement décorée de niches et d'arcatures, la tour de la cathédrale d'Auxerre
▼ *culmine à 68 mètres.*

statues de femmes figurent les arts libéraux (Grammaire, Rhétorique, Dialectique, Arithmétique, Géométrie, Astronomie, Musique, Philosophie). La vie de saint Jean-Baptiste, des scènes de la vie du Christ et du Précurseur, le Jugement de Salomon complètent l'ensemble.

La Genèse est le sujet principal du portail de gauche. On y voit notamment Adam cueillant le fruit défendu; Dieu lui reprochant sa faute; l'Ange chassant Adam et Ève du Paradis; le vieux Lamech, aveugle, tuant Caïn d'une flèche. Deux panneaux sont consacrés à l'arche de Noé. Le registre inférieur du tympan est occupé par le couronnement de la Vierge et la vie de la mère du Christ.

Les portails latéraux, aux extrémités du transept, sont consacrés, au sud, à saint Étienne, et, au nord, à saint Germain d'Auxerre. Construits au XIVᵉ et au XVᵉ siècle, ils sont de style flamboyant.

Le bras de la Vierge

Comme les statues de l'extérieur, l'intérieur de la cathédrale a cruellement souffert des guerres de Religion. Les abus de la répartition des bénéfices ecclésiastiques provoquèrent, dans la région, une levée de boucliers en faveur de la Réforme. Plus d'ailleurs parmi les hobereaux que parmi les gens du peuple, qui restaient attachés à leur foi et à leurs prêtres. Les escarmouches commencèrent dès 1535. La lutte atteignit son paroxysme dans la nuit du 27 au 28 septembre 1567, lorsque les huguenots investirent Auxerre. Les troupes calvinistes se livrèrent alors à un pillage en règle, et la cathédrale Saint-Étienne ne fut pas épargnée : vol des ornements, des vases, des joyaux, mutilation des sculptures à coups de bâton et d'arquebuse, bris des verrières...

La nef, les bas-côtés et les chapelles aménagées entre les culées des arcs-boutants datent du XIVᵉ siècle. Le chœur, fermé par une belle grille en fer forgé de style Louis XV, est plus ancien d'un siècle, et c'est un magnifique témoignage de l'art ogival. Il comprend quatre travées droites, couvertes de voûtes barlongues, et un sanctuaire arrondi, entouré de six colonnes rondes. Un triforium court au-dessus des grandes arcades en tiers-point. Cinq travées droites de chaque côté et cinq travées tournantes constituent le déambulatoire. Il n'y a pas de chapelles rayonnantes, mais une chapelle absidiale de plan carré. Celle-ci est séparée du déambulatoire par deux fines colonnes cylindriques, et sa voûte s'appuie sur dix branches d'ogives rayonnant autour d'une clef centrale et retombant sur autant de fines colonnettes.

Au fond de cette chapelle, une statue de Notre-Dame-des-Vertus, dite « Vierge d'Auxerre », s'auréole de mystère. Sculptée au XVIᵉ siècle pour remplacer celle, plus ancienne, brisée par les protestants, elle

▲ Surnommées les « saintes grottes »,
les cryptes de l'église
Saint-Germain d'Auxerre
recèlent des fresques carolingiennes.

réalisée au XVIᵉ siècle par l'école de Troyes. À *Brienon-sur-Armançon*, les verrières en grisaille de l'ancienne collégiale Saint-Loup ne manquent pas non plus d'intérêt, mais ce sont surtout les grandes orgues qui sont remarquables.

Au confluent de l'Armançon et de l'Yonne, l'agglomération de *Laroche-Migennes*, surtout connue comme nœud ferroviaire et comme port sur le canal de Bourgogne, recèle une belle église romane : Saint-Cydroine. ∎

Chablis et le vignoble auxerrois

Au Moyen Âge, le vignoble de l'Yonne était le plus important de France. Au XIIᵉ siècle, alors que l'on ne parlait pas encore des vins de Beaune, un moine italien décrivait ainsi l'Auxerrois : « Dans le vaste espace que comprend le diocèse de cette ville, monts, coteaux, plaines et champs sont couverts de vignes. Les gens de ce pays ne sèment point, ne moissonnent point, n'amassent point dans leurs greniers. Il leur suffit d'envoyer leur vin à Paris par la rivière toute proche, qui précisément y descend. La vente du vin en cette ville leur procure de beaux profits qui leur paient entièrement le vivre et le vêtement. » La plantation de la vigne avait été autorisée en 273 par l'empereur Probus. À *Escolives-Sainte-Camille*, à quelques kilomètres au sud d'Auxerre, où des fouilles ont mis au jour de nombreux vestiges gallo-romains, on a retrouvé un bas-relief du IIIᵉ siècle représentant un jeune garçon en train de vendanger.

disparut pendant la Révolution et fut retrouvée, quelques années plus tard, sous un tas de gravats. Coïncidence, due à un coup de ciseau involontaire du sculpteur? Ses grands yeux clairs semblent exprimer l'étonnement de se trouver là. Le geste du bras droit pose, lui aussi, une énigme : bénit-il? marque-t-il la surprise? Nul, jusqu'ici, n'a pu le déterminer.

La rose et les rosaces

La cathédrale contient d'autres statues intéressantes (saint Étienne lapidé, monument funéraire de l'évêque Jacques Amyot, précepteur d'Henri III), mais ce sont incontestablement ses vitraux qui constituent, en dépit des déprédations subies, sa plus belle parure. Dans une symphonie de couleurs où dominent le rouge et le bleu, ils déroulent rosaces et médaillons sur les baies du déambulatoire, les hautes fenêtres du chœur, les roses des croisillons et de la façade. Près de quatre cents sujets, empruntés aux légendes et aux mystères de la vie des saints et de l'Écriture — scènes de la Genèse, histoires de David, de Joseph, de l'Enfant prodigue —, entourent le déambulatoire d'un lumineux livre d'images. La beauté des teintes, la perfection du travail et des matières en font un chef-d'œuvre — sinon « le » chef-d'œuvre — des maîtres verriers du XIIIᵉ siècle. La grande rose de la façade occidentale, réalisée au XVIᵉ siècle, est également très belle : lorsque les rayons du soleil couchant viennent animer les anges musiciens qui la décorent, le silence de la nef semble marquer le point d'orgue d'un concert céleste tout juste interrompu.

Seul vestige de la cathédrale romane élevée par Hugues de Chalon, la crypte située sous le chœur est impressionnante par sa simplicité. Sous les voûtes d'arêtes, deux rangées de cinq piliers carrés, flanqués de demi-colonnes, déterminent une nef et deux bas-côtés. Le déambulatoire, séparé du chœur arrondi par de gros massifs de maçonnerie, dessert une chapelle en cul-de-four comportant une travée voûtée en plein cintre. Le berceau est orné d'une fresque très remarquable, qui semble remonter au XIᵉ siècle : c'est la seule image connue du Christ monté sur un cheval blanc, et l'on pense qu'il s'agit d'une représentation du Roi des rois de l'*Apocalypse*; quatre anges, également à cheval, l'entourent. Sur le cul-de-four, une fresque moins ancienne (fin du XIIIᵉ s. ou début du XIVᵉ) montre un Christ en gloire plus traditionnel.

Signalons enfin le « trésor », patiemment reconstitué après le pillage du XVIᵉ siècle. Il possède de belles collections d'émaux de Limoges et de statuettes en ivoire, des manuscrits, des miniatures, des objets d'art sacré et une tunique du Vᵉ siècle qui aurait appartenu à saint Germain d'Auxerre.

Le sarcophage du martyrium souterrain de l'église Saint-Germain d'Auxerre est très ancien, mais ce n'est plus
▼ celui de saint Germain.

Terriblement éprouvé par le phylloxéra, le vignoble de l'Yonne, qui couvrait 60 000 ha au siècle dernier, n'en occupe plus que 5 000, mais ses vins n'ont rien perdu de leurs qualités. On distingue deux terroirs : le vignoble de Chablis et celui de la vallée de l'Yonne, au sud-est d'Auxerre.

« Porte d'or de la Bourgogne », *Chablis* est nichée au creux de la vallée du Serein, une rivière sinueuse, bordée de saules et de peupliers, qui serpente entre les vallées de l'Yonne et de l'Armançon. L'église Saint-Martin, construite à la fin du XIIe siècle et au début du XIIIe, est gothique, mais le portail latéral droit, par lequel on y pénètre, est roman : ses vantaux ont gardé leurs pentures du XIIe siècle et sont constellés de fers à cheval cloués par les pèlerins en guise

▲ *Chablis,*
capitale viticole de l'Yonne :
les deux tourelles à toits pointus
de l'ancienne porte Noël.

d'ex-voto. Le vignoble, qui s'étend sur vingt communes, produit un vin blanc sec à robe d'or vert apprécié dans le monde entier. D'une grande finesse d'arôme, fluide et pur, délicat, léger, parfumé, le chablis exige de ses vignerons beaucoup de ténacité et de patience. Les vignes ont souvent été victimes de gelées printanières. C'est pour cela qu'elles s'abritent dans les vallées perpendiculaires du Serein. Depuis 1959, les Chablisiens luttent contre le gel soit en réchauffant l'atmosphère avec des « chaufferettes soufflantes », alimentées au fuel, soit en pratiquant l'« aspersion » : on pulvérise de l'eau sur les plants, afin que les bourgeons s'enrobent de glace et se maintiennent à 0° C, évitant le seuil critique de − 2° C qui provoquerait leur éclatement.

Au bout de l'étroite rue
Saint-Pierre-en-Château,
la cathédrale d'Auxerre dresse
▼ l'abat-son de son clocher.

Églises anciennes et demeures du passé

Si les guerres de Religion causèrent un préjudice certain à la cathédrale d'Auxerre, elles furent un véritable fléau pour l'abbaye bénédictine Saint-Germain, fondée au VIe siècle par la reine Clotilde, sur l'emplacement de l'oratoire où l'évêque avait été inhumé. Tous les trésors accumulés dans l'abbatiale rebâtie à la fin du XIIIe siècle furent volés, dispersés à jamais. Notamment la châsse de saint Germain, faite d'or et d'argent, enrichie, au cours de siècles de dévotion, de centaines de perles et de pierres précieuses. Elle serait toujours enterrée dans la région. Personne — officiellement — n'a jamais retrouvé l'endroit.

On serait tenté, à propos de cette abbatiale, de ne retenir que l'inventaire des parties disparues : narthex et portail détruits en 1777; travées préromanes de la nef abattues en 1810; avant-portail gallo-romain démoli en 1822. De quoi décourager les plus curieux! Ils auraient tort, car il reste un beau clocher roman isolé, un transept et un chevet gothique, avec une chapelle absidiale élevée, en raison de la dénivellation, sur deux cryptes carolingiennes superposées. Ces cryptes, bâties entre 850 et 865 par le comte Conrad, oncle de Charles le Chauve, abritent un sarcophage dit « de saint Germain » et les sépultures de plusieurs évêques et abbés. Dans la crypte supérieure, un déambulatoire carré contient un véritable trésor archéologique : les plus anciennes fresques du IXe siècle découvertes en France à ce jour. Trois d'entre elles représentent l'arrestation de saint Étienne, son jugement et sa lapidation; les autres, quatre évêques d'Auxerre et une Adoration des Mages, cette dernière malheureusement mutilée et très effacée.

Parmi les nombreuses églises auxerroises, deux méritent une mention spéciale : Saint-Pierre-en-Vallée et Saint-Eusèbe. La première était la paroisse des vignerons. Ce sont eux qui ont fait édifier la tour carrée, au XVIe siècle, en s'inspirant de celle de la cathédrale. Plus jeune d'un siècle, la belle façade classique, de forme triangulaire, élève, sur un rez-de-chaussée à colonnes et pilastres ioniques, deux étages d'ordre corinthien et une lucarne baroque. Elle donne sur une place fermée par une porte monumentale Renaissance, très dégradée par les intempéries.

Saint-Eusèbe est une ancienne abbatiale, dotée d'un clocher roman, d'une nef mi-romane mi-gothique, et d'un chœur Renaissance. Elle recèle un trésor : le suaire qui servit à la translation du corps de saint Germain en 841. Cette étoffe de soie est un magnifique spécimen des travaux exécutés dans les ateliers impériaux de Byzance. Elle représente deux aigles héraldiques, le corps de face, la tête de profil, tenant dans leur bec un anneau muni d'un pendentif; leurs serres reposent sur une base horizontale ornée de perles.

Il existe quatre appellations d'origine contrôlées : chablis grand cru (11⁰ d'alcool au minimum et une production ne dépassant pas 35 hl à l'hectare), chablis 1er cru (10⁰,5 et 40 hl), chablis (10⁰ et 40 hl) et petit chablis (9⁰,5 et 40 hl). Les deux derniers se boivent volontiers jeunes, alors que les premiers prennent du bouquet avec les années. Tous accompagnent bien fruits de mer, poissons et volailles.

Les communes viticoles les plus importantes des vignobles de la vallée de l'Yonne sont Chitry, Saint-Bris-le-Vineux, Irancy et Coulanges-la-Vineuse. *Chitry*, dont l'église fortifiée est flanquée d'un véritable donjon cylindrique à mâchicoulis, et *Saint-Bris-le-Vineux*, dont l'église Saint-Cot-et-Saint-Prix possède de beaux vitraux et une grande fresque de la Renaissance, produisent surtout des vins blancs (bourgogne et sauvignon). *Irancy*, patrie de Soufflot, l'architecte du Panthéon, et *Coulanges-la-Vineuse*, que Servandoni dota, au XVIIIe siècle, d'une église de style dorique, produisent des bourgognes rouges et rosés dont le bouquet délicat rappelle la violette ou la framboise. Enfin, Auxerre produit toujours son fameux « clos de la chaînette ». ■

Le pays d'Othe

Au sud-est de Sens, entre la vallée de la Vanne et celle de l'Armançon, la forêt d'Othe s'étend sur une cinquantaine de kilomètres. Au Moyen Âge, des communautés de cisterciens et de prémontrés en ont défriché d'importants secteurs pour y planter de la vigne. Anéanti au

▲ *Inspirées par l'école de Troyes, les verrières Renaissance de l'église de Saint-Florentin, au dessin vigoureux.*

Les vitraux du déambulatoire de la cathédrale d'Auxerre sont parmi les plus beaux ▼ *que nous ait légués le XIIIe siècle.*

L'ancienne abbaye Saint-Germain est au nord, Saint-Pierre-en-Vallée à l'est, Saint-Eusèbe à l'ouest. Aller de l'une à l'autre est une excellente occasion de visiter la ville. En prenant le chemin des écoliers, on verra, dans le quartier de la Marine, le port du Bonnet-Rouge et la place du Coche-d'eau; rue Cochois, le portail de la maison où habitait la « mère » des compagnons du Tour de France, sculpté de deux mains enlacées tenant un bouquet, et celui, de style Renaissance, de l'évêché construit au XVIe siècle par l'évêque François II de Dinteville; derrière la cathédrale, dans un jardin, l'ancien palais épiscopal, devenu préfecture, que longe une galerie romane faite de 18 petites arcades aux colonnes alternativement simples et jumelées; rue Saint-Pierre-en-Château, la demeure où la poétesse Marie Noël passa son enfance; les hôtels particuliers de la rue Joubert; rue Milliaux, une ancienne maison de barbier ornée des instruments de la profession : plat à barbe, peigne et ciseaux.

Une partie du centre de la ville étant interdite à la circulation automobile, les piétons peuvent flâner à leur aise dans les ruelles qui serpentent entre de vieilles maisons à encorbellement, à l'ombre tutélaire de la tour de l'Horloge. Construite au XVe siècle (on l'appelait alors tour Gaillarde, car elle faisait partie des fortifications), cette tour est ornée d'une horloge à double cadran, dont l'un indique les mouvements apparents du Soleil et de la Lune.

La tour enjambe la rue de l'Horloge, sur laquelle donne un autre passage voûté, ménagé dans un restant de l'enceinte romaine. Sous cette voûte, une plaque rappelle que l'huissier auxerrois Guillaume Roussel, plus connu sous son surnom de « Cadet-Roussel », habita jadis ici. Il avait acquis en 1790 « le droit de bâtir au niveau du cintre de l'entrée de la cour du palais attenant l'horloge ». Sa maison n'existe plus, mais son souvenir, immortalisé par le récit chanté de ses déboires, demeure.

À Sens, la première des grandes cathédrales

Située à la porte nord du plus septentrional des départements bourguignons, Sens est une sentinelle postée à la lisière de l'Île-de-France. Cette vocation n'est pas récente. Quatre siècles avant Jésus-Christ, la ville, qui s'appelait alors *Agedincum*, était le fief des Sénons, tribu gauloise qui a donné son nom à la région et qui était alors l'une des plus puissantes de la Gaule. En 390 avant J.-C., les Sénons envahirent l'Italie, conquirent Rome et n'acceptèrent de se retirer qu'en échange d'un tribut important. C'est leur chef Brennus qui, après avoir utilisé de faux poids, jeta son épée dans la balance en s'écriant *Vae victis!* (Malheur aux vaincus!). Trois siècles plus tard, les Sénons furent vaincus par les Romains, qui firent ultérieurement

▲ *Auxerre : les maisons*
à pans de bois
de la rue de l'Horloge
ont plus de cinq cents ans.

de leur ville la capitale de la Lyonnaise IVᵉ ou Sénonie. Ce fut, pour la cité, le point de départ d'un destin exceptionnel. Devenue archevêché, elle acquit la primauté sur les évêchés de Chartres, d'Auxerre, de Meaux, de Paris, d'Orléans, de Nevers et de Troyes (villes dont les initiales forment le mot « Campont », devise de l'église métropolitaine, chaque lettre rappelant l'un des diocèses dépendant de l'archevêché).

Capitale de la Gaule chrétienne, Sens peut s'enorgueillir des deux papes (Clément VI et Grégoire XI) qu'elle a donnés à l'Église et de ses quarante-six évêques canonisés. Elle fut même la capitale de la chrétienté en 1163-1164, lorsque le pape Alexandre III y résida. Saint Louis y épousa Marguerite de Provence en 1234. Près d'un siècle auparavant, en 1140, saint Bernard y avait obtenu pour la seconde fois, au cours d'un concile, la condamnation des doctrines d'Abélard. À la même époque, l'archevêque Henri Sanglier, ami de saint Bernard, décidait de faire construire une nouvelle cathédrale et en confiait l'exécution à l'architecte Guillaume de Sens.

La cathédrale Saint-Étienne de Sens est la première en date des grandes nefs gothiques de France. Joyau du printemps des cathédrales, elle occupe, selon Marcel Aubert, spécialiste de l'archéologie du Moyen Âge, « par la date de sa construction, par le parti de son plan et de son élévation, une place de premier ordre dans l'histoire de l'architecture nationale ». En 1164, lorsque le pape Alexandre III consacra le maître-autel, ce monument précurseur de l'épanouissement gothique était à peu près achevé.

La cathédrale Saint-Étienne se dresse en plein centre de la ville. On aurait pu lui souhaiter plus d'espace pour dégager sa majesté, sobre et austère. Mais, telle qu'elle est située, dominant la cité de sa seule tour sud, elle paraît protéger de sa haute silhouette les vieux quartiers qui l'entourent.

Cette tour sud, dite « tour de Pierre », s'élève à 78 m avec le campanile qui la surmonte. S'étant écroulée en 1267, elle fut aussitôt reconstruite, mais terminée seulement au XVIᵉ siècle (1532). C'est ce qui explique qu'elle soit un peu différente du reste de l'édifice. Son beffroi abrite deux énormes cloches : la « Savinienne » (16 tonnes, 2,60 m de diamètre) et la « Potentienne » (14 tonnes, 2,32 m de diamètre). Ces deux bourdons sont célèbres. Fondus en 1563 par un fondeur auxerrois, Gaspard Mongin-Viard, ils échappèrent, en 1793, au creuset révolutionnaire qui transforma en canons onze autres cloches de bronze.

La tour du nord, dite « tour de Plomb », ne dépasse pas la façade. Inachevée, elle doit son surnom à une flèche de bois couverte de plomb qui remplaçait le dernier étage manquant et fut détruite en 1848. Datant de la fin du XIIᵉ siècle, elle est plus sobre que la tour de Pierre, et une partie des arcades et des arcatures qui la décorent sont

XIXᵉ siècle par le phylloxéra, le vignoble n'a pas été replanté. De vastes surfaces ont été reboisées, d'autres ensemencées, d'autres couvertes de pommiers à cidre. L'ensemble, auquel l'appellation de « pays d'Othe » convient mieux que celle de « forêt d'Othe », est très verdoyant et agréablement vallonné.

Comme dans toute la Bourgogne, les villages du pays d'Othe recèlent des églises intéressantes. Celle de *Dixmont*, qui a un beau portail du XIIIᵉ siècle, possède un bas-relief préroman représentant saint Gervais et saint Protais; celle de *Cerisiers*, qui est romane, abrite le tombeau d'un templier; celle des *Sièges*, de style Renaissance, a de jolies portes latérales.

À la lisière septentrionale du pays d'Othe, sur la Vanne, *Villeneuve-l'Archevêque*, fondée au XIIᵉ siècle par un archevêque de Sens, a servi de cadre à l'entrevue historique au cours de laquelle des messagers de la république de Venise remirent solennellement à Saint Louis et à Blanche de Castille la Couronne d'épines, relique précieuse entre toutes, pour laquelle le roi fit bâtir la Sainte-Chapelle de Paris. Construite au XIIIᵉ et au XIVᵉ siècle, l'église de Villeneuve-l'Archevêque, dédiée à la Nativité de Notre-Dame, est gothique. Au pied d'une tour chapeautée d'ardoises s'ouvre un très beau portail, orné de scènes de la vie de la Vierge. L'intérieur de l'église contient de nombreuses statues anciennes, notamment un saint-sépulcre du XVIᵉ siècle, d'une émouvante sobriété.

Plus au nord, le *château de Fleurigny* dresse ses tours rondes sur un terre-plein cerné de douves. La

→

Cathédrale de Sens, chœur :
la somptuosité de la grille
et du baldaquin de Servandoni
▼ *contraste avec la pureté ogivale.*

Renaissance en a fait une plaisante demeure, et Jean Cousin l'a doté d'une curieuse chapelle dont la voûte en berceau est divisée en caissons et ornée de sculptures. ■

D'Auxerre à Sens au fil de l'Yonne

À partir d'Auxerre, où l'Yonne devient navigable, la route vers Sens emprunte sa vallée. Première étape : *Joigny*, dont les habitants (les Joviniens) sont surnommés « maillotins » depuis que leurs ancêtres, armés de maillets de vignerons, massacrèrent leur seigneur, le comte de La Trémoille (1438). On y trouve des maisons à pans de bois du XVe et du XVIe siècle, une porte fortifiée du Moyen Âge et deux églises qui méritent une visite.

▲ *Entouré des vignobles les plus réputés de l'Auxerrois, le petit village d'Irancy se niche au creux d'un vallon.*

Cathédrale de Sens : la grande verrière du croisillon sud, exécutée au début du XVIe siècle ▼ *par des maîtres verriers troyens.*

Saint-Thibault, de style gothique flamboyant, abrite une belle « Vierge au sourire » en pierre polychrome, datant de la fin du XIIIe siècle. Saint-Jean, dont la nef est couverte d'une voûte à caissons Renaissance, contient un saint-sépulcre en marbre du XVe siècle et le tombeau de la comtesse de Joigny.

Saint-Julien-du-Sault doit son nom à une légende : alors que le saint était poursuivi par ses ennemis, son cheval aurait sauté du mont Vauguillain, qui domine la ville, jusqu'à Fontenotte (aujourd'hui en plein centre), où une source aurait jailli. Tout près de là, rue du Puits-de-la-Caille, s'élève une belle maison du XVIe siècle, dont les pans de bois sont garnis de silex au rez-de-chaussée et de briques au premier étage. L'église, pour ses porches latéraux, ses vitraux et son chœur,

encore en plein cintre. Entre les tours, une grande fenêtre ogivale est surmontée d'une petite rose et de trois arcatures, ornées, comme la galerie contiguë de la tour de Pierre, de statues du XIXe siècle.

Ce manque d'unité se retrouve dans les trois portails de la façade. Sur celui de gauche, le plus ancien, s'affrontent, à la base des piédroits, les bas-reliefs de l'Avarice et de la Libéralité. La vie de saint Jean-Baptiste décore le tympan et les trois voussures. Les statues de l'ébrasement ont disparu.

Le portail central, large de 13 m et haut de 14, est une véritable encyclopédie : parabole des Vierges sages et des Vierges folles, travaux des champs figurant les mois, bestiaire, arts libéraux... Au tympan, l'histoire du saint patron de la cathédrale est contée en sept épisodes, et soixante-dix statuettes d'anges et de saints peuplent les cinq rangs de voussures. Mais la plupart de ces statues ont beaucoup souffert. Le 7 novembre 1793, les « Marseillais », qui remontaient vers Paris, les ont renversées et brisées à coups de masse. Seule l'effigie de saint Étienne, adossée au trumeau, a échappé au massacre et constitue l'un des plus beaux spécimens que nous aient légués les premiers temps de la statuaire gothique.

Quant au portail de droite, reconstruit après l'effondrement de la tour de Pierre, il est orné de statuettes, elles aussi mutilées, des prophètes de l'Ancien Testament et de bas-reliefs relatifs à la Vierge.

Les deux portails latéraux, à chacune des extrémités du transept, offrent un magnifique exemple de style flamboyant. Celui du sud, donnant sur les jardins de l'archevêché, est dédié à Moïse ; celui du nord, à Abraham. On les doit au maître d'œuvre Martin Chambiges, appelé à la fin du XVe siècle par l'archevêque Tristan de Salazar. Fondateur d'une dynastie d'architectes, Chambiges (qui travailla aussi aux chantiers de Troyes, de Beauvais, de Senlis, et à qui l'on doit aussi la tour Saint-Jacques, à Paris) y a démontré sa merveilleuse habileté.

Sans minimiser la beauté du portail de Moïse, on peut dire que c'est avec le portail d'Abraham que Martin Chambiges a exprimé tout son génie : la gigantesque rose et le fronton de l'immense façade à claire-voie en témoignent. On sent que l'architecte a recherché délibérément les difficultés pour exploiter toutes les ressources de son talent. Il a réussi, sachant allier force, délicatesse, grâce et hardiesse.

Une ample nef et un vaste chœur

Si l'extérieur de la cathédrale Saint-Étienne est un peu disparate, l'intérieur frappe par son unité, en dépit des modifications intervenues au cours des siècles, notamment l'adjonction du transept au XVe siècle. Pour la première fois, les tribunes qui surmontaient les vaut que l'on s'y arrête.

Dernière halte avant Sens, *Villeneuve-sur-Yonne*, fondée en 1163 par Louis VII, était, au Moyen Âge, résidence royale. Louis VI le Gros et Philippe Auguste y séjournèrent souvent. Les remparts ayant été transformés en jardins, il ne reste pas grand-chose de l'enceinte, en dehors des deux portes fortifiées respectivement appelées « de Joigny » et « de Sens ». Reste également un énorme donjon cylindrique, vestige de l'ancien château; bien qu'on l'appelle « tour Louis-le-Gros », il aurait été édifié sur l'ordre de Philippe Auguste. Le monument le plus intéressant de la ville est l'église Notre-Dame, où se mêlent harmonieusement les influences bourguignonne et champenoise; le chœur est du XIIIᵉ siècle, le vaisseau du XIVᵉ et

▲ *Dépouillée à l'extrême, couronnée d'un gros clocher en bois, l'église médiévale du hameau de Vieux-Migennes.*

la façade du XVIᵉ, en pleine Renaissance, comme la belle Mise au tombeau de la chapelle du Sépulcre, dont le Christ est en bois et les personnages en pierre. ■

Seignelay et Pontigny

C'est à Colbert, son marquis, que *Seignelay*, bâtie sur une colline qui domine la vallée du Serein, doit ses lettres de noblesse. Le ministre de Louis XIV en acquit la baronnie, la fit ériger en marquisat et chargea les architectes du roi de restaurer le château : la Révolution n'a laissé subsister de celui-ci que le parc, une partie de l'enceinte, une tour et l'un des pavillons d'entrée.

Mais, en contemplant le tableau peint au XVIIᵉ siècle par Vandermeulen, on constate que

bas-côtés dans les cathédrales romanes ont disparu : le triforium court immédiatement au-dessus des grandes arcades en tiers-point qui séparent la nef des collatéraux. Les voûtes étant sexpartites — c'est-à-dire portées par trois ogives entrecroisées au lieu de deux, formule couramment utilisée dans les premiers temps du gothique —, les piles qui les supportent sont alternativement fortes (retombée des arcs diagonaux et doubleaux) et faibles (arcs complémentaires) : les premières sont des piliers massifs, les secondes d'élégantes colonnes jumelées. Au-dessus du triforium, le troisième et dernier étage est constitué par de hautes fenêtres qui éclairent généreusement la nef. La même disposition se poursuit autour du chœur, et on la retrouve dans la cathédrale de Canterbury (Angleterre), à l'édification de laquelle collabora également Guillaume de Sens.

Le chœur, très profond, est séparé de la nef par une magnifique grille en fer forgé, exécutée en 1762 par le serrurier Guillaume Doré, à la requête du cardinal de Luynes. Au centre, le maître-autel à baldaquin, don du roi Louis XV, est l'œuvre de Servandoni, l'architecte de l'église Saint-Sulpice, à Paris. Le déambulatoire, qui prolonge les bas-côtés de la nef, dessert une chapelle axiale du XIIIᵉ siècle, flanquée de deux chapelles ovales, ajoutées l'une au XVIᵉ siècle, l'autre au XVIIIᵉ; cette dernière abrite le tombeau du Dauphin, commandé par Louis XV au sculpteur Guillaume Coustou.

Depuis le XIXᵉ siècle, une curieuse tête est fichée entre deux nervures du premier pilier de la nef, à gauche. Elle est censée représenter un certain Jean du Cognot, que la tradition identifie avec un légiste du XIVᵉ siècle, Pierre de Cugnières. Avocat au Parlement, il lutta contre les abus du clergé au Moyen Âge. Il paraît que les fidèles avaient l'habitude d'éteindre leurs cierges en les enfonçant dans la bouche de cet « anticlérical »!

L'éblouissement des verrières

Un peu plus loin, contre le troisième pilier, est adossé un admirable retable de pierre, ciselé comme un bijou, que Tristan de Salazar fit élever en 1515 à la mémoire de ses parents. De là, il suffit de quelques pas pour atteindre la croisée du transept et découvrir les magnifiques grandes verrières qui ornent les croisillons. La rosace du sud, qui représente le Jugement dernier, a été exécutée dans les deux premières années du XVIᵉ siècle par des maîtres verriers troyens, comme les autres vitraux de ce croisillon, consacrés aux légendes de saint Étienne et de saint Nicolas, et à un bel arbre de Jessé.

Dans le croisillon nord, la rosace représente le Paradis, les verrières latérales étant réservées aux saints patrons du diocèse, Abraham et Joseph. Toutes sont l'œuvre de deux verriers sénonais, Jean Hympe

Cathédrale de Sens : les arcatures en plein cintre de la chapelle Saint-Jean-Baptiste
▼ *sont encore de style roman.*

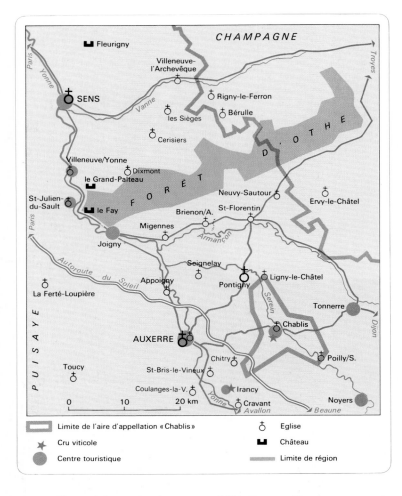

Limite de l'aire d'appellation «Chablis»   ⚲ Eglise

★ Cru viticole   ⌂⌂ Château

● Centre touristique   Limite de région

et son fils, qui les exécutèrent vers 1516. Pour pallier le manque de soleil, ces artistes traitèrent la rose nord en teintes claires, alors que celle du sud éclate, au contraire, de chaudes couleurs. Le choix des coloris est ainsi déterminé par la quantité de lumière que le vitrail est appelé à transmettre, ce que Viollet-le-Duc appelait sa «faculté de rayonnement».

Cet art de la transparence, où la profondeur des bleus projette les rouges et les verts au premier plan, se retrouve dans les vitraux, bien antérieurs, du chœur et du déambulatoire. Les plus anciens, situés à gauche du chœur, datent du XIIᵉ siècle : on y voit des paraboles (le Bon Samaritain, l'Enfant prodigue), la légende de saint Eustache et la vie de saint Thomas Becket, archevêque de Canterbury, que le roi d'Angleterre Henri II fit assassiner par ses barons, en 1170, parce qu'il lui avait tenu tête. Avant sa triste fin, le prélat britannique avait cherché refuge à Sens, où il avait été accueilli par le pape Alexandre III, lui aussi exilé après ses démêlés avec l'empereur Frédéric Barberousse.

Les fenêtres hautes du chœur et celles de la chapelle absidiale sont garnies de vitraux du XIIIᵉ siècle. Les premières illustrent la Passion, la vie de la Vierge et le martyre de saint Étienne; les secondes sont consacrées aux apôtres saint Pierre, saint Paul et saint Jean. Dans la chapelle du Sacré-Cœur, un vitrail du XVIᵉ siècle, représentant la sibylle de Tibur, est de Jean Cousin, peintre sénonais à qui l'on doit l'un des plus beaux nus de l'école de Fontainebleau : *Eva Prima Pandora* (Louvre). On attribue au même artiste une verrière du bas-côté droit, représentant la légende de saint Eutrope.

À droite du chœur, sous une arcade, un escalier conduit à une porte garnie de ferrures du XIIIᵉ siècle, qui est fermée pendant les offices. Le reste du temps, elle donne accès à deux salles dont la visite s'impose. Malgré les tourmentes de la Révolution, qui emportèrent la plupart des objets d'or et d'argent, la cathédrale de Sens a conservé une grande partie de son trésor, enrichi, au siècle dernier, de nombreux dons provenant d'archevêques et de bienfaiteurs. Composé essentiellement d'une splendide collection de vêtements liturgiques, à laquelle s'ajoutent des tapisseries, des ivoires, des manuscrits et des pièces d'orfèvrerie, ce trésor est l'un des plus riches de France.

l'aspect général de la ville a peu changé. Ici, le bois est roi. Il a servi à construire la halle, à l'étonnante charpente formant trois nefs de trois travées. Dans l'église, dont la tour est coiffée d'un lanternon, les sculptures ornant l'orgue sont également en bois, comme les châsses aux armes de Colbert. L'ombre du «grand commis» flotte sur la grande avenue, longue de 4 km et bordée de platanes, qu'il fit construire. Le XVIIᵉ siècle est là.

À *Pontigny*, c'est le Moyen Âge qui est présent. Le renom de son abbaye cistercienne en fit l'un des hauts lieux spirituels de la Bourgogne. Fondée en 1114 par un ami de saint Bernard, l'abbé Hugues de Mâcon, Pontigny était la «seconde fille de Cîteaux». Comme son aînée, elle respectait la règle de saint Bernard : ordre, équilibre,

dépouillement. Contrairement à Cîteaux, elle a conservé son église intacte : presque aussi vaste que Notre-Dame de Paris, d'une sévérité qui confine à l'austérité, celle-ci ressemble à un immense vaisseau de pierre échoué au milieu des blés.

Au début du XXᵉ siècle, après la séparation de l'Église et de l'État, l'abbaye fut vendue au philosophe Paul Desjardins, dont les «Entretiens de Pontigny» réunirent tous les grands noms de la littérature européenne. C'est aujourd'hui un centre de rééducation.

À l'est de Pontigny, le village de *Ligny-le-Châtel* possède une curieuse église, associant une nef romane et un portail en plein cintre à un chœur Renaissance dont le déambulatoire semble inspiré par celui de Pontigny, bien que l'abside soit polygonale, et non arrondie. ∎

Les maisons du vieux Sens

Le Palais synodal prolonge, au sud, la façade de la cathédrale. C'est un long bâtiment au toit de tuiles vernissées, construit au XIIIᵉ siècle et restauré par Viollet-le-Duc. Il était le siège de l'Officialité (tribunal ecclésiastique). La façade, percée de six belles fenêtres gothiques, est divisée par cinq contreforts surmontés de pinacles et portant de grandes statues de Saint Louis, de saint Savinien, de saint Étienne, de saint Potentin et de l'archevêque Gauthier Cornu, bâtisseur du palais.

La vaste salle voûtée du rez-de-chaussée, ancienne geôle de l'Officialité, a été transformée en musée lapidaire : on y a rassemblé des statues provenant de la cathédrale. Dans les cachots attenants, conservés tels qu'ils étaient, les murs sont encore couverts de graffiti tracés par les prisonniers. Au premier étage, la salle où se réunissait le synode contient des mosaïques gallo-romaines, des tapisseries, le mausolée du cardinal Duprat, ministre de François Iᵉʳ, orné de magnifiques bas-reliefs de marbre, les statues agenouillées des cardinaux Jean et Jacques du Perron, des sculptures, des ivoires, des miniatures.

Derrière le Palais synodal, l'ancien archevêché, composé de trois corps de bâtiment datant du XVIᵉ et du XVIIᵉ siècle, entoure un jardin dominé par la haute façade du croisillon sud.

La cathédrale Saint-Étienne, «belle dame de pierre» chère aux Sénonais, n'est pas le seul sanctuaire intéressant de la ville. Ni le plus ancien. Dans ce domaine, la palme revient à la vénérable église Saint-Savinien, élevée en 1068. Elle renferme de belles statues et des sarcophages mérovingiens et carolingiens. Saint-Maurice remonte vraisemblablement au XIIᵉ siècle; située dans l'Île-d'Yonne, elle reflète sa longue toiture et son pignon de bois dans la rivière. L'ancienne abbatiale Saint-Jean, exemple rare du style champenois-bourguignon du XIIIᵉ siècle, retient l'attention par les hautes baies qui éclairent le chœur. Enfin, citons Saint-Pierre-le-Rond et sa nef du XIIIᵉ siècle, dont la voûte de bois a malheureusement été gravement endommagée par une tornade en 1971.

Sens ne cache pas son âge, et ses rues réservent au flâneur d'agréables surprises, car les demeures anciennes y sont nombreuses. Rue de la République, au coin de la rue Jean-Cousin, l'angle de la maison d'Abraham est décoré d'un arbre de Jessé en bois sculpté, et la maison du Pilier possède un curieux porche. Toutes deux datent du XVIᵉ siècle, comme l'hôtel de la Pointe, rue Voltaire : face au marché couvert, il dresse une façade flanquée de deux balcons en encorbellement, avec garde-fous en fer forgé et portant cette devise : *Rei publicae commoditati, urbi ornamento, pauperum utilitati* (Pour la commodité de la chose publique, pour l'ornement de la ville, pour l'utilité des pauvres).

monts en Bourgogne
le Morvan

Au cœur de la Bourgogne,
un pays de forêts,
de pâturages et d'eaux vives,
plus vallonné
que vraiment montagneux,
déploie toute la gamme des verts
d'une nature encore intacte :
c'est le Morvan.

◄ Au flanc du mont Beuvray,
le reboisement
de la forêt morvandelle.

▲ Au printemps,
des milliers de fleurs
émaillent les prairies
de la vallée de l'Yonne.

◄◄ Dans un tunnel de verdure,
la Canche tombe en cascade
parmi les rochers moussus.

▲ *Refuge d'une
nature menacée,
la forêt morvandelle.*

▲ *Sur les eaux peu profondes
de l'étang de Vaux,
des barques attendent les pêcheurs.*

4. Le Morvan

*Le Morvan offre aux citadins air pur, hautes futaies silencieuses,
escarpements rocheux, gorges encaissées et vastes plans d'eau.*

Le fermier morvandiau
ne partage plus son toit
avec ses bêtes,
mais sa maison reste isolée,
et il mène souvent
une existence solitaire.

▲ *Surveillant ses prés*
et ses charolais,
une ferme du haut Morvan,
entre Saint-Prix et Glux.

Nord du Morvan, ▶
vers Chalaux :
l'image même
du pays vert.

6. Le Morvan

Sentinelle du Morvan, Autun,
l'ancienne *Augustodunum* des Romains,
qui portait fièrement
le nom de l'empereur
et se disait «sœur et émule de Rome»,
reste une ville d'art
où les vestiges antiques
se mêlent aux souvenirs
du Moyen Âge.

◄ *Tout au bord
de la ville,
le vieil Autun
et ses toits
de tuiles brunes,
vus du clocher
de la cathédrale.*

*Chef-d'œuvre
de la statuaire
bourguignonne
du XVe siècle,
la Vierge d'Autun,
un des trésors
▼ du musée Rolin.*

*Couronnée ►
d'une tour
et d'une flèche
gothiques,
la cathédrale
romane
d'Autun.*

▲ *Le lac des Settons*
attire autant d'amateurs
de sports nautiques
que de chevaliers de la gaule.

L'air vif a un parfum tout particulier. Il sent le foin, la châtaigne, le lait frais et le feu de bois mouillé. Ce bouquet d'odeurs qui monte de vallons encaissés, bruissants d'eaux vives, au cœur de la Bourgogne, c'est tout le Morvan. Un massif qui vit d'air pur et d'eau fraîche, à moins de trois heures de Paris. Un pays solitaire, dur, couvert de prairies, de landes et de forêts immenses, où se mêlent toutes les nuances de vert. Une sorte de Québec en réduction, cachant des trésors sous ses épaisses frondaisons, au flanc de ses gorges profondes, mais ne les livrant qu'à ceux qui ont l'âme rustique ou la fibre du trappeur.

Vieux massif granitique, raboté par l'érosion, relevé depuis, le Morvan occupe, au centre-ouest de la Bourgogne, un rectangle de quelque 80 km de long sur 50 de large, orienté du nord au sud. Au nord, c'est un plateau à peine ondulé, qui s'élève en pente douce depuis le Bassin parisien; au sud, le relief s'accentue, puis s'effondre brutalement, ce qui, malgré son altitude modeste, lui confère un aspect montagneux.

En venant de la capitale par l'autoroute du Soleil, l'approche se fait par étapes rapides. À peine sorti du ruban de ciment, on traverse, en les oubliant aussitôt, de gros bourgs aux maisons tristes : la sévérité de la pierre grise des façades éteint l'ardoise des toits. Et, soudain, la route monte, descend, tourne, tourmentée comme l'univers à découvrir. L'horizon est fermé par des barrières de grands sapins noirs, percées, de-ci de-là, par la teinte argentée de quelques bouquets de bouleaux. Le rideau s'entrouvre sur un autre monde.

Déjà refuge aux temps préhistoriques, le Morvan fut, à l'époque gauloise, le domaine des Éduens, dont la capitale, Bibracte, était la ville la plus étendue des Gaules. Disputant la primauté au peuple rival des Arvernes, les Éduens appelèrent les Romains à leur aide. Bien que cette alliance ne leur ait pas apporté autant de profit qu'ils en espéraient, ils lui restèrent fidèles, n'abandonnant les Romains que le temps d'aller se faire massacrer à Alésia, aux côtés de l'Arverne Vercingétorix. Après quoi ils marquèrent leur allégeance en acceptant de transporter leur capitale dans la plaine, à Autun : le Morvan cessait d'être un refuge, sauf lors des fort nombreuses périodes troublées que subit la Bourgogne.

Aujourd'hui, partagé entre les quatre départements bourguignons (Yonne, Côte-d'Or, Nièvre et Saône-et-Loire), le Morvan est devenu « marginal ». Mais, au milieu de ses vastes réserves de verdure et d'eaux vives, les frontières s'oublient. Dans ce massif raviné par les torrents, la rudesse des pentes rocheuses est adoucie par le velours des sous-bois où voisinent la digitale et l'orchidée sauvage. Des champs de genêts coupent les forêts de hêtres, tapissées de parterres de bruyères. Pourtant, la roche sombre (Morvan vient du celtique *mor'ven,* « montagne noire ») n'est jamais bien loin.

Rudes et solides Morvandiaux

Tout comme les sites, les habitants du Morvan méritent mieux qu'une investigation superficielle. On les dit durs et secrets, comme leur terroir. Ils sont pourtant plus « causants » qu'on ne le croit. Le Dr Bogros écrivait au siècle dernier (« À travers le Morvan ») :

> *Sur cette terre en dons avare,*
> *Sur ce granit déshérité,*
> *Croît une fleur qui devient rare,*
> *Elle a nom : l'Hospitalité!*

Qu'il soit garde forestier, « engornaudeur » (braconnier) ou simplement paysan, le Morvandiau connaît la vie, l'histoire, les secrets et les légendes de sa forêt. Il révélera la meilleure rivière à truites (il y en a des dizaines), le bon coin à brochets (le lac de Pannesière ou l'étang de... Poisson), les endroits où les amateurs de safaris photographiques auront le plus de chances d'apercevoir écureuils, sangliers ou chats sauvages. Il indiquera la ferme abandonnée à restaurer (le Morvan compte quelque 4 000 résidences secondaires pour 9 000 habitations principales), les terrains propices aux recherches géologiques et archéologiques. Et il partagera, à l'occasion, son jambon et son pain.

Si la nature n'a pas apporté la fortune au Morvandiau, elle lui a façonné le cœur à son image. Il a fallu à l'homme de la ténacité pour combattre la médiocrité du sol, de la patience pour domestiquer la vivacité de l'eau, beaucoup d'amour pour accepter les sortilèges d'une terre rebelle. Et aussi de la sagesse pour apprendre à se contenter de peu. Car, malgré la richesse de ses paysages, le Morvan est pauvre.

Certes, dans les hameaux gris qui parsèment la mosaïque verte et brune du bocage, l'ardoise et la tuile ont peu à peu remplacé la paille sur le toit des maisons. L'habitat s'est amélioré. Au XIXe siècle, la chaumière traditionnelle se réduisait à une grande salle commune, aux murs sommairement badigeonnés, qui communiquait le plus souvent avec l'étable : tous étaient logés à la même enseigne.

L'équilibre de la pauvreté s'est rompu au milieu du XIXe siècle, sous l'influence de la poussée démographique. Depuis lors, beaucoup de Morvandiaux abandonnent leur pays pour la capitale ou les centres industriels voisins. Avant cela, ils s'expatriaient déjà, mais seulement de façon temporaire. Les hommes allaient en Bourgogne, dans la Bresse ou le Bourbonnais, s'embaucher comme ouvriers agricoles, comme vendangeurs, comme bûcherons ou comme charbonniers. La spécialité régionale masculine était la « galvache », consistant à se louer avec sa paire de bœufs pour effectuer transports ou débardages.

Autre spécialité, féminine celle-là : le métier de nourrice. Les mamelles morvandelles — principalement celles du canton de Montsauche — étaient si réputées dans la capitale que l'on avait

Au fil de l'eau

Au Moyen Âge, manquant de bois de chauffage, Paris fit appel au Morvan, dont les forêts semblaient inépuisables et auquel la ville était reliée par deux magnifiques voies d'eau, l'Yonne et la Seine. Des bateaux à fond plat, les « margotats », transportèrent le précieux combustible, mais leur charge était limitée et ils devaient remonter les rivières à vide.

C'est en 1547 que l'on imagina d'acheminer vers la capitale des « trains de bois flotté » analogues à ceux que l'on voit encore aujourd'hui au Canada. Longs de quelque 75 m, larges de 4,50 m, épais de 1 m environ, ces « trains » étaient formés d'une série de radeaux, les « coupons », faits de bûches serrées entre deux perches.

Les ports de départ étaient approvisionnés en bois par les galvachers, mais ce mode de transport s'avéra bientôt insuffisant. C'est alors que l'on s'organisa pour exploiter rationnellement un procédé vieux comme le monde : le flottage « à bûches perdues ».

Chaque négociant avait sa marque, imprimée aux extrémités des bûches avec un marteau spécial. Ainsi identifiés, les rondins étaient jetés au « flot ». Pour que les cours d'eau aient un débit suffisant, on vidait successivement les étangs qui les jalonnaient, provoquant ainsi des « chasses » assez violentes pour entraîner les bûches, et des « flotteurs », armés de crocs, veillaient à ce que l'écoulement se fît normalement.

Dès le règne de Louis XIII, on envisagea de construire un barrage

→

▲ *Nouveaux venus dans la forêt morvandelle, les résineux gagnent rapidement du terrain.*

Dans une clairière de la forêt au Duc, l'entassement de blocs de granite
▼ *de la roche des Fées.*

surnommé l'omnibus de Paris « le train des nourrices ». Précis comme un juré de comice agricole, l'historien Levainville estimait que « son allure massive, sa poitrine large, son sein arrondi, plat, large à la base » conféraient à la Morvandelle « tous les indices d'une bonne laitière ». Il n'avait pas tort. C'est au sein morvandiau que tétèrent le fils de Napoléon III, des princes espagnols, le général Gouraud, Francis Poulenc, les rejetons de bien des nobles familles. L'apport d'argent frais des nourrices permettait d'agrandir les habitations,

de séparer les étables des communs, d'ajouter des chambres. Aujourd'hui, on appelle encore ces fermes « maisons de lait ».

Quand la nourrice ne se déplaçait pas, c'était le nourrisson qui venait à elle. Depuis le début du XIXᵉ siècle, l'Assistance publique de Paris place beaucoup de ses pupilles chez des parents nourriciers morvandiaux, et les « petits Paris » étaient autrefois très recherchés par les familles pauvres, à qui ils fournissaient un complément de ressources et une main-d'œuvre gratuite.

▲ *À la lisière méridionale
du Morvan,
le très poissonneux
étang de... Poisson.*

sur la Cure pour améliorer les conditions du flottage, mais les premières études sérieuses ne furent entreprises que sous Louis XVI. Interrompues par la Révolution, elles furent reprises sous Louis-Philippe et menées à bien sous Napoléon III. Les travaux commencèrent en 1854 et, pendant quatre ans, des chars à bœufs transportèrent des milliers de tonnes de granite depuis la forêt de Breuil jusqu'au marais des Settons, distant de 15 km. Long de 267 m, haut de 20, le barrage est doublé, depuis 1905, par une deuxième digue. S'il ne sert plus à provoquer les crues artificielles indispensables au flottage, il contribue encore à régulariser le cours de l'Yonne, dont la Cure est un affluent.

Le dernier des trains de bois flotté partit pour la capitale en 1875. Ils furent ensuite remplacés par des péniches, mais, le charbon détrônant le bois, le volume des expéditions diminua. Le dernier flottage sur la Cure eut lieu en 1924. Récemment, la vogue des barbecues a entraîné l'installation de deux usines de carbonisation dans le Morvan, mais le charbon de bois ne voyage pas par voie d'eau. Il circule en camion, comme les centaines de milliers de sapins de Noël que les sylviculteurs morvandiaux, reconvertis aux résineux, expédient chaque année dans toutes les grandes villes d'Europe. ■

Goujons, truites... et sanglier

Avec ses lacs, ses rivières et ses étangs, le Morvan est un paradis pour les pêcheurs. Il en attire plus de

Le remplacement progressif, dans l'élevage des bovins, de l'ancienne race morvandelle à robe rouge par la race charolaise a un peu amélioré la situation des quelque 5 000 exploitants agricoles actuellement recensés. Ce n'est pas parfait. Ils sont encore dépendants des régions voisines, car le Morvan n'est qu'un « réservoir de maigre ». Entendez par là que les prairies ne nourrissent que jusqu'à 18 mois ou 2 ans les bêtes, qui sont ensuite vendues et engraissées ailleurs. Le développement de l'élevage ovin, pourtant en plein essor, n'est pas non plus suffisant pour briser l'isolement d'un milieu rural dispersé, vieillissant et exsangue.

Un parc pour Paris

L'expansion du tourisme pouvait constituer une intéressante solution d'appoint. C'est ce qui a amené la création, en octobre 1970, du parc naturel régional du Morvan. L'idée de ranimer la vie locale en préservant une vaste zone où les citadins viendraient se détendre est née en 1966. Les arguments ne manquaient pas : paysages attrayants, lacs-réservoirs, étangs, monuments historiques et vestiges remontant à la plus haute antiquité, proximité de Paris, esprit hostile aux modernisations hâtives, ignorant la frénésie de notre époque, propice à la nostalgie des joies agrestes, pause-dépaysement à la portée de tous. Grâce à son parc naturel, le Morvan a consolidé son unité géographique et humaine, menacée par son écartèlement entre quatre départements.

Dans le Morvan, la présence gauloise est sensible à chaque détour de sentier. C'est sans doute pour cela que le parc régional, qui s'étend sur 64 communes et couvre 173 615 ha, a pris pour emblème le cheval au galop d'une antique monnaie éduenne. En six ans, les forêts domaniales (Saulieu, au Duc, Ferrières, Breuil-Chenue, Anost, Saint-Prix, Glenne) ont été aménagées : amélioration des routes, création d'aires de stationnement avec tables de pique-nique et abris. Deux maisons forestières ont été transformées en chalets-dortoirs. Ouverts toute l'année, ces refuges en pleine forêt servent des curiosités différentes : celui de Breuil, au nord (près de Dun-les-Places), est destiné à ceux qui s'intéressent surtout à la faune; celui de la Croisette, au sud, en forêt de Saint-Prix, aux amateurs de flore et de géologie.

Mais pourquoi se spécialiser? Personne n'empêche le géologue de s'attarder dans l'un des miradors de Breuil-Chenue pour observer les évolutions d'un chevreuil; ou dans l'enclos d'Anost, pour guetter une harde de sangliers; ou dans celui de Quarré-les-Tombes, où des daims paisibles semblent avoir compris que leur peau ne servira jamais à fabriquer des chaussures. Et personne n'interdit non plus au zoologue

qui, sur un chemin forestier, découvre un gisement de quartz laiteux de chercher à y récolter béryls, grenats ou tourmalines.

Le promeneur est libre. Comme l'air du Morvan. Et si les animaux ne sont qu'en semi-liberté, c'est pour leur bien. L'homme doit les protéger contre l'homme. Mais leurs enclos sont vastes. Chaque espèce vit dans son milieu écologique. La génétique et la densité à l'hectare sont respectées. Finalement, les lois naturelles le sont aussi, puisque, même sans enclos, une bête sauvage occupe un territoire dont elle ne sort jamais.

Que l'on aborde le parc par le nord (Vézelay), par le sud (Autun), par l'est (Saulieu) ou par l'ouest (Lormes), les routes sont nombreuses et bien entretenues. Mais l'artère principale, celle qui permet de pénétrer vraiment au cœur du pays, n'est pas goudronnée. C'est un sentier de grande randonnée, le G. R. 13, qui parcourt tout le Morvan en diagonale, de Vézelay à Autun. Il traverse le bas Morvan en suivant la haute vallée de la Cure jusqu'au lac des Settons, puis le haut Morvan en passant par Anost, le Haut-Folin et le mont Beuvray. Alors, laissons-nous tenter. Abandonnons la voiture et partons à l'aventure, sac au dos. Pas besoin de boussole ni de carte d'état-major : le G. R. 13 est bien balisé. Et, puisque nous nous promenons, rien ne nous empêchera de faire quelques crochets pour visiter ce qui sera situé un peu à l'écart de notre itinéraire.

Au nord, le Morvan commence au pied de Vézelay, et bientôt apparaît un petit village très pittoresque, *Pierre-Perthuis,* juché sur un bloc de granite dominant un étroit défilé où la Cure s'engouffre en bouillonnant. Les maisons sont construites parmi les ruines d'un château féodal où Philippe Auguste réunit jadis ses barons (1189), et l'on entre dans le village par la porte de l'ancienne forteresse. Au bord de l'à-pic, une petite église domine les deux ponts qui enjambent la rivière : un orgueilleux ouvrage moderne, haut de 33 m, et un humble pont du XVIIIᵉ siècle, en dos d'âne, dont le parapet est fait de calcaire tandis que la chaussée est de granite; c'est un symbole de l'union du Morvan et des plateaux qui le bordent. Du grand pont, on aperçoit l'arcade naturelle, haute de 6 m, de la Roche-Percée, curiosité géologique de pays calcaire, à laquelle le village doit son nom.

Clef des champs et des songes

Après Chastellux-sur-Cure et son magnifique château, après le vaste lac du barrage du Crescent, une petite incursion vers l'est nous amène sur le plateau qui sépare la vallée de la Cure de celle où coulent les eaux ferrugineuses du Cousin, dont les truites dorées se confondent avec la rouille des pierres. *Quarré-les-Tombes* nous y

50 000 chaque année. Des bassins artificiels et des réserves piscicoles ont été aménagés dans certains des anciens ports de flottage. Malgré l'affluence, il reste encore nombre de bons coins pour les fines gaules. Il convient toutefois de respecter la réglementation en vigueur.

Sur le domaine privé (rivières ni navigables ni flottables), le droit de pêche appartient au propriétaire riverain, et l'on ne peut pêcher sans son autorisation ni sans une carte et un timbre piscicole.

Sur le domaine public (canaux, rivières navigables ou flottables, grands lacs), le droit de pêche appartient à l'État. Chacun est libre d'y pêcher à une seule ligne flottante, tenue à la main, pourvu qu'il soit membre d'une quelconque société de pêche et que sa carte soit revêtue du timbre piscicole. Pour

pêcher à trois cannes, il faut s'inscrire à l'association locale.

Pour pêcher dans les retenues des barrages de l'E. D. F., il suffit d'être membre d'une association de pêche et de pisciculture du département.

La législation et les périodes d'ouverture diffèrent selon que le cours d'eau est classé en première catégorie (salmonidés dominants) ou en deuxième catégorie (salmonidés non dominants).

Quant aux sangliers, ils ne sont pas tous enfermés dans des enclos protégés. La forêt en attire d'autres, qui se chassent «à courre» avec ces chiens courants spécialisés que sont les griffons nivernais. Les sociétés de chasse locales organisent des «safaris» en février et mars, période durant laquelle les passages de hardes de sangliers — dont certaines en provenance d'Europe centrale —

→

▲ *Gibier traditionnel du Morvan, le sanglier est désormais l'hôte du parc naturel régional.*

L'origine des sarcophages de Quarré-les-Tombes est un mystère
▼ *pour les archéologues.*

attend avec son mystère. Le village, qui compte un millier d'habitants, tire son nom des sarcophages de pierre qui entourent son église du XVe siècle. Il y en aurait eu jadis plus de 2 000, il n'en reste plus qu'une centaine. Certains ont été utilisés pour restaurer l'église, d'autres servent de bancs ou d'auges les jours de foire aux bestiaux. D'où viennent-ils? Ont-ils jamais été utilisés? On l'ignore.

Le mystère continue à moins d'une demi-heure de marche vers le sud. Dans la forêt au Duc, près du hameau de Bousson, un sentier conduit à une arête granitique, la *roche des Fées*. On n'y croise nulle magicienne, mais on y découvre des blocs rocheux superposés qui seraient les vestiges d'un monument druidique.

Le visible et l'invisible semblent sans arrêt mêlés. Au promeneur en quête de rêve et d'évasion, les forêts et le bocage morvandiaux offrent la clef des songes avec celle des champs. À l'est de Quarré-les-Tombes, au bord du Trinquelin (un autre nom du Cousin, évoquant mieux sa nature cascadante), se cache, solitaire au milieu des bois, le *monastère de la Pierre-qui-Vire*. La route forestière qui y conduit n'est pas facile à trouver : il y a des lieux qui se méritent.

Créé en 1850, c'est l'un des plus importants couvents d'hommes de France. De nombreux catholiques profitent chaque année de l'hospitalité bénédictine pour y faire retraite. Son nom lui vient d'une gigantesque pierre plate, qui oscillait sous la simple pression de la main et passait pour un dolmen. Le R. P. Muard, fondateur de l'abbaye, la fit sceller et la surmonta d'une statue de la Vierge. On ne visite pas les bâtiments de style néo-gothique, à l'exception de l'église, ouverte au public pour les offices, et d'une salle d'exposition sur la vie et les travaux monastiques, mais on peut se promener dans le parc, parmi les rochers, au long d'un chemin de croix sculpté par un moine, jusqu'au calvaire qui domine la gorge sauvage du Trinquelin.

Au nord du monastère, sur le plateau, *Saint-Léger-Vauban* conserve pieusement le souvenir de son grand homme, Sébastien Le Prestre de Vauban (1633-1707), gentilhomme de petite noblesse qui, sous Louis XIV, devint maréchal de France et commissaire général des fortifications. Il dirigea victorieusement 53 sièges, édifia 33 citadelles, perfectionna les défenses de 300 autres, inventa des techniques nouvelles, améliora l'armement, mais perdit la faveur du roi en publiant sans autorisation son «Projet d'une dîme royale», qui, faisant fi des privilèges, préconisait un impôt proportionnel aux revenus. La maison natale de celui que Saint-Simon appelait «le meilleur homme et le meilleur patriote du monde» était encore debout à la fin du siècle dernier; sa statue se dresse sur la place du village et, dans l'église du XVe siècle, une plaque rappelle qu'il y fut baptisé.

Nous retrouvons le G. R. 13 et la vallée de la Cure avec les Isles Ménéfrier, où la rivière torrentueuse caracole dans un lit de rochers, et deux villages martyrs de la dernière guerre, *Dun-les-Places* et sont le plus nombreux, notamment autour du Beuvray, où nos ancêtres les Gaulois accomplissaient déjà des exploits cynégétiques. ∎

Les chaos d'Uchon et de Dettey

Si les sommets arrondis du Morvan constituent de beaux belvédères, un petit massif isolé au sud d'Autun, la montagne d'*Uchon*, séparée du massif principal par la dépression de l'Arroux, offre un magnifique panorama *sur* le Morvan. Ses pentes boisées, sauvages et pittoresques, culminent à 681 m au signal d'Uchon, mais le point de vue et la table d'orientation sont situés un peu plus bas. De là, la vue s'étend sur la plaine de l'Arroux, quadrillée par les haies, jusqu'aux

▲ *Les étranges rochers du chaos d'Uchon ont donné naissance à bien des légendes.*

monts de la Madeleine et aux monts Dômes; plus près se dressent les sommets morvandiaux : Beuvray, Haut-Folin, Préneley.

Le village d'Uchon lui-même est étonnant par son site. Il est bâti à flanc de montagne, près d'un chaos de blocs granitiques aux formes fantastiques, auxquels s'attachent de nombreuses légendes : le « Carnaval »; la « Pierre qui croule », un bloc de plusieurs tonnes, type même de l'érosion en boule qui affecte le granite à gros grains, qui peut être ébranlé d'une main; la « Griffe du Diable », dont les curieuses rainures semblent les traces de griffes monstrueuses.

Il existe un autre chaos similaire au sud-ouest d'Uchon, à *Dettey*, petit village pittoresque construit sur une butte autour d'une belle église romane du XIe siècle. ∎

En créant un lac paisible, le barrage de Pannesière-Chaumard a régularisé le débit fantasque ▼ *de l'Yonne.*

Montsauche. Dans le premier, bâti à l'emplacement d'un ancien oppidum éduen, sur une hauteur d'où l'on découvre un beau panorama, 27 habitants furent fusillés devant l'église, curé en tête. Le second, étagé sur les pentes ensoleillées du signal de Montsauche (663 m), fut rasé le 26 juin 1944; aujourd'hui reconstruit, c'est, au cœur du parc naturel, un carrefour touristique important à proximité de nombreux buts de promenade comme le prétendu *dolmen de Chevresse*, imposante table de granite dont l'origine est probablement naturelle; le *saut du Gouloux*, où le ruisseau du Caillot plonge de 8 m de haut dans un joli site boisé, avant de rejoindre la Cure; et, surtout, le lac des Settons.

Terre des grands lacs et des cent rivières

Le barrage de 267 m de long et de 20 m de haut, qui, depuis 1858, régularise le cours de la Cure en amont de Montsauche, a créé, dans un paysage doucement vallonné, un magnifique plan d'eau de 360 ha, le *réservoir des Settons*. L'été, ses rives ombragées, bordées par un chemin de ronde qui serpente entre les sapins et les mélèzes, attirent des milliers de promeneurs. Son nom vient du patois *cheutons* (« chétifs »), que les paysans appliquaient autrefois aux arbustes rabougris des bords marécageux de la Cure. L'occupation et l'utilisation des rivages du lac sont restées anarchiques jusqu'au jour où le conseil général de la Nièvre décida de créer un complexe de loisirs à caractère collectif. Depuis, amateurs de pêche, de baignade, de voile, de motonautisme et de ski nautique font bon ménage.

L'eau est un des éléments dominants du Morvan, terre des cent rivières, devenue aussi celle des grands lacs. Outre les Settons, il faut citer les réservoirs du *Crescent* (165 ha), de *Saint-Agnan* (142 ha), de *Chaumeçon* (135 ha), de *Pannesière-Chaumard* (520 ha), qui ont permis de discipliner la fougue des cours d'eau — notamment celle de l'Yonne, cause de dangereuses crues de la Seine —, de produire de l'électricité et de constituer une importante provision d'eau potable pour la capitale.

Mais ces lacs ont également une vocation touristique. Tous les cinq sont équipés pour les activités nautiques, et leurs installations se perfectionnent d'année en année. Chaumeçon est en passe de devenir une base nationale d'aviron et de canoë-kayak (discipline pratiquée sur toutes les rivières de la région); Saint-Agnan, en accord avec la fédération et les collectivités locales, s'oriente vers la pêche; Crescent (comme l'étang de Vaux et son voisin l'étang de Baye, dans le Nivernais) est surtout voué à la pratique de la voile.

De par son étendue, Pannesière-Chaumard, qui déploie ses méandres sur 7,5 km dans la vallée là l'Yonne, à l'ouest des Settons,

au milieu d'une couronne de collines verdoyantes, permet de pratiquer toutes ces activités. Une route en fait le tour en franchissant la crête du barrage. De là, on découvre, vers le sud, les sommets du haut Morvan qui, plus farouche et plus solitaire que le nord, est peut-être le « vrai » Morvan.

Ici commence le haut Morvan

À proximité du barrage de Pannesière, *Chaumard* dresse son clocher roman sur la ligne imaginaire qui, de Montigny, à l'ouest, jusqu'à Chissey, à l'est, sépare les deux Morvan. À partir de là,

Les eaux curatives

Les eaux qui ruissellent dans le Morvan ont parfois des vertus curatives. À la lisière du parc naturel, celles de la station thermale de *Saint-Honoré-les-Bains*, sulfurées, arsenicales et radioactives, sont utilisées pour soigner les maladies des voies respiratoires (asthme, bronchite, emphysème), l'arthritisme et certaines maladies de peau. Elles jaillissent tièdes de trois sources principales, et leurs vertus thérapeutiques étaient déjà connues des Romains, qui avaient construit des thermes dont on a retrouvé des marbres et des mosaïques. Située dans une région de collines verdoyantes, Saint-Honoré est aussi un agréable centre de promenades : forêt du Deffend; étang de Seu; lac

de la Chèvre; signal de la Vieille Montagne, avec son immense panorama et les vestiges imposants de son château médiéval; Préporché et son église romane; Vandenesse et son château du XVe siècle, hérissé de tours.

À l'autre extrémité du Morvan, dans la vallée de la Cure, entre Vézelay et Pierre-Perthuis, des fouilles récentes ont mis au jour un sanctuaire celtique et des thermes gallo-romains datant du Ier et du IIe siècle : les *Fontaines-Salées*. Les sources qui les alimentaient étaient exploitées depuis l'âge du fer. Des troncs de chêne ou de hêtre, évidés et disposés verticalement, faisaient office de puits pour capter l'eau. Ils datent du premier millénaire avant Jésus-Christ, et leur remarquable conservation est due à la forte minéralisation de l'eau. ■

▲ *Aux Fontaines-Salées, les fondations de vastes thermes gallo-romains.*

quand, dans la lumière dorée du crépuscule, on aperçoit à l'horizon les monts couleur de suie, le miracle peut vraiment s'accomplir. Le sentier grimpe et traverse les forêts d'Anost, de Folin, de Saint-Prix, pour monter à l'assaut du Haut-Folin et du mont Beuvray. Mais, avant d'atteindre les modestes cimes morvandelles, il faut faire de nombreuses haltes. Plus que jamais, le chemin des écoliers ajoute aux joies de la promenade le plaisir de l'exploration, aussi salubre pour le cœur que pour le corps.

Anost, tout d'abord, dans un hémicycle de montagnes boisées qui est un des sites les plus pittoresques du Morvan. Le panorama est particulièrement beau depuis la statue de *Notre-Dame-de-l'Aillant,* qui domine le bourg. Autrefois, tous les hommes du pays, ou presque,

étaient « galvachers ». La tradition s'est perdue, mais on joue toujours aux quilles près du café de la Poste, et le patois est encore vivant dans les foires. Il l'est même parfois au conseil municipal : le maire prétend que cela permet de mieux plaisanter, les surnoms étant souvent plus connus que les noms véritables.

On parle aussi patois à *Arleuf,* au sud-ouest d'Anost. On y revendique même la gloire de parler le plus pur, le plus vrai, le plus authentique des dialectes morvandiaux. Ce que contestent les habitants de *Fâchin,* sur l'autre versant du Montarnu, qui affirment aussi détenir cet honneur. Une querelle pour spécialistes de la sémantique. En tout cas, c'est Arleuf qui a les maisons les plus caractéristiques, avec leurs pignons recouverts de plaques d'ardoise — les « tavaillons » — destinées à les protéger du vent d'ouest et des pluies qu'il amène.

En poursuivant cette incursion vers le couchant jusqu'à la limite occidentale du parc, on arrive à la capitale du Morvan, *Château-Chinon,* dont la devise, alliant la modestie à la fierté, tient en quatre mots : « Petite ville, grand renom ». L'agglomération étage ses toits d'ardoises bleues sur le versant ensoleillé d'une colline. Culminant à 609 m, cette éminence est une des sentinelles du pays, une forteresse naturelle où, au fil des siècles, furent bâtis un oppidum gaulois, un camp romain et un château féodal. Du calvaire qui la couronne, on découvre un immense panorama, d'un côté sur la vallée de l'Yonne et les monts du haut Morvan, de l'autre sur la plaine du Nivernais jusqu'au Val de Loire (table d'orientation).

Place forte depuis le XIIIe siècle, Château-Chinon fut démantelée au XVe par Louis XI, après sa victoire sur le duc de Bourgogne Charles le Téméraire. De l'ancienne enceinte, il ne reste que deux pavillons et deux tours rondes, si transformés qu'ils sont méconnaissables. Entre eux, on a réédifié une porte fortifiée, provenant du château démoli, dite « porte Notre-Dame ». Propre, coquette, accueillante, la ville est un excellent centre d'excursions vers le haut Morvan. On y trouve un musée, une maison des Arts et Traditions populaires qui présente notamment une très belle collection de costumes anciens, et les environs offrent de nombreux buts de promenades dans la forêt morvandelle.

Bibracte, citadelle gauloise

Au sud d'Anost, le G. R. 13 passe à proximité des pittoresques *gorges de la Canche,* hérissées de hautes aiguilles rocheuses pointant entre les arbres, dessert la maison forestière de la Croisette, puis pique vers l'ouest pour escalader le point culminant du Morvan, le *Haut-Folin* (902 m au signal du Bois-du-Roi). Un peu plus bas, à

Gastronomie morvandelle

▲ *Saulieu : dans la façade de la basilique Saint-Andoche, toute la sobre puissance du style roman.*

La plus connue des spécialités gastronomiques du Morvan est assurément le jambon de ménage, préparé aux épices selon une recette qui doit remonter aux Éduens. On le consomme nature, en croûte ou «à la crème», variante modernisée du *saupiquet,* qui est le plat de résistance de la cuisine morvandelle. Le mot vient du vieux français *saupiquer* (piquer de sel). Il s'agit d'épaisses tranches de jambon bien sec, que l'on fait revenir, puis que l'on arrose d'une sauce faite d'une réduction, dans un grand verre de vinaigre, d'échalotes hachées, de grains de poivre écrasés, de genièvre et de crème fraîche.

Autre spécialité : le *jau* (jeune poulet de l'année), cuit avec des lardons et des petits oignons, auquel on ajoute le sang de l'animal coupé d'un filet de vinaigre.

Les *grapiaux* sont servis avec la potée morvandelle. Ce sont des crêpes aux lardons, dont la fabrication est toujours une source de conflit. Avec ou sans œufs? Les avis sont (très) partagés.

Les poissons sont nombreux dans les lacs et les rivières : brochets, perches, truites, goujons. Ces derniers sont préparés en friture, après avoir été trempés dans du lait froid salé.

Les fromages de chèvre de la région sont renommés (Anost, Dornecy, Lormes), mais il n'y a pas de vin. Heureusement, les bourgognes ne sont pas loin, et il y a même un petit vignoble à Tannay, près de Clamecy.

Restent, après le coup de l'étrier, les *pourlècheries* (pâtisseries). Elles sont presque toutes à base de pommes et de pâte à crêpe, épaisse ou fine selon les recettes : *crapiau, gouerre, tartouillat.* Des préparations consistantes. À croire que les maîtresses de maison morvandelles ont oublié que Catherine de Lorraine leur avait apporté, en 1603, la recette de la galette feuilletée.

Bien qu'elle ait perdu un peu de son prestige depuis que l'autoroute a détourné le flot de la circulation entre Paris et le Midi, *Saulieu,* porte orientale du parc naturel, reste la capitale gastronomique du Morvan. Sa réputation est ancienne. Relais de poste sur la route Paris-Lyon, elle se devait d'être une étape agréable, et Rabelais vantait déjà sa bonne chère. On trouve une autre preuve de cette vocation dans la belle basilique romane Saint-Andoche, aux magnifiques chapiteaux

840 m d'altitude, un chalet-restaurant accueille les randonneurs... et les automobilistes, car une route en lacet y conduit à travers bois. L'hiver, une piste skiable dotée d'un téléski offre de belles glissades aux amateurs, mais hélas! la neige ne tient guère plus de deux mois (janvier et février).

Reprenant sa progression vers le sud, le G. R. 13 longe le mont Préneley (855 m), où l'Yonne prend sa source, pour atteindre le *mont Beuvray* (821 m), un des berceaux de l'unité gauloise. C'est là, sur le balcon du Morvan, vaste plateau désolé qui domine la plaine de l'Arroux, qu'était situé l'oppidum celtique de Bibracte, capitale des Éduens. Ce fut l'une des plus importantes places fortes du dernier siècle avant l'ère chrétienne. C'est sans doute pour cela que Vercingétorix choisit, en 52 av. J.-C., d'y convoquer toutes les tribus gauloises pour se faire élire chef suprême des armées en lutte contre César. Ce dernier, après avoir pris Alésia, honora d'ailleurs Bibracte de sa présence à deux reprises. Mais les Romains ne pouvaient tolérer une telle ville forte, et les Éduens durent s'installer plus sagement en plaine : Autun remplaça Bibracte.

Les fouilles entreprises au siècle dernier ont permis de déterminer qu'il s'agissait non seulement d'un immense camp retranché, défendu par des remparts de 5 à 6 m de haut, mais aussi d'un marché, où les habitants des alentours venaient effectuer leurs transactions commerciales, et d'une cité industrielle : certains quartiers du nord-est étaient occupés par des ateliers de forgerons, de fondeurs et d'émailleurs.

Il est encore possible de suivre le tracé des remparts, mais on ne voit plus rien des rues et des maisons, du temple consacré à la déesse Bibracte ni de l'établissement de bains, recouverts de terre au fur et à mesure de leur mise au jour : les Gaulois ignorant l'usage du mortier, leurs murailles de pierres sèches étaient très fragiles et n'auraient pas résisté aux intempéries. Du moins en a-t-on relevé les plans, qui, avec le produit des fouilles (monnaies, poteries noires décorées, chenets d'argile à tête de bélier, objets de bronze, notamment des pièces de harnachement ornées de petites calottes d'émail rouge, objets de parure, etc.), ont enrichi les musées d'Autun et de Saint-Germain-en-Laye.

Avec un peu de chance, en grattant le sol sous les hautes futaies de châtaigniers, de chênes et de hêtres multiséculaires qui cernent le site, on peut trouver des morceaux de poteries et autres vestiges gallo-romains. On peut, plus simplement, se contenter des souvenirs historiques qu'évoque ce belvédère et du panorama qu'on y découvre : la vue s'étend jusqu'à Autun, jusqu'au signal d'Uchon, jusqu'à Mont-Saint-Vincent. Par temps clair, on distingue le Jura et même le mont Blanc. Au pied de la montagne, le village de *Saint-Léger-sous-Beuvray* aligne ses maisons basses autour d'une place triangulaire.

Deux arcades pour les chars, deux autres pour les piétons : la porte d'Arroux élevée ▼ *par les Romains, à Autun.*

Romaine et médiévale Autun

À l'est du mont Beuvray, Autun, bâtie sur le versant boisé de la montagne de Montjeu, est également une sentinelle du Morvan. En plus, c'est une ville d'art, dotée d'un riche passé dont les vestiges participent étroitement à la vie quotidienne.

La ville fut fondée, vers l'an 10 av. J.-C., par l'empereur Auguste, qui la baptisa *Augustodunum.* Ses dimensions en faisaient la troisième des cités gallo-romaines, alors que Lutèce n'était encore qu'une bourgade. L'empereur l'avait voulue d'emblée métropole régionale, avec capitole et forum, et grand centre économique et universitaire. La ville était très fière d'être appelée «sœur et émule de Rome». Elle couvrait 200 ha, protégés par 6 km de remparts et 54 tours semi-circulaires; le théâtre pouvait accueillir 16 000 spectateurs, et 12 000 étudiants fréquentaient les écoles.

De cette époque prestigieuse, qui ne dura que deux siècles, il reste quelques monuments, moins éprouvés par les injures du temps que par la fureur iconoclaste des hommes : sur la route de Paris, ancienne via Agrippa, la porte d'Arroux, haute de 17 m, large de 19, avec des murs de 4 m d'épaisseur et surmontée d'une fine galerie de style corinthien; à l'est, la porte Saint-André, qui a conservé son chemin de ronde et l'une de ses tours de flanquement; le plus grand théâtre romain des Gaules (149 m de diamètre), construit sous Vespasien (Ier siècle), dont il subsiste trois étages de gradins en demi-cercle et historiés, avec une Vierge à l'Enfant du XVe siècle, don de la marquise de Sévigné repentante après des libations excessives à l'auberge du Dauphin; la tête de la statue a d'ailleurs été retouchée pour ressembler à la donatrice. ■

Littérature en haute vallée de l'Yonne

À l'ouest du Morvan, l'Yonne oublie sa fougueuse jeunesse pour devenir une belle rivière. Parmi les verts pâturages, elle entreprend le long périple qui va la conduire jusqu'à la Seine. Sa « rigole » — une dérivation chargée d'alimenter le canal du Nivernais — fait un bout de chemin en sa compagnie, puis l'enjambe, à 30 m de haut, par le bel *aqueduc de Montreuillon.*

Passé l'aqueduc, la vallée se resserre et prend l'aspect de gorges aux pentes boisées. Après *Marcilly* et son château du XVe siècle, l'Yonne se rapproche du canal du Nivernais, et les deux voies d'eau cheminent désormais de conserve. À *Chitry-les-Mines,* où l'on extrayait jadis de l'argent, un monument célèbre la mémoire d'un ancien maire, l'écrivain Jules Renard. C'est à Chitry qu'il a situé « Poil de carotte », et il fait souvent allusion à la bourgade dans son « Journal ».

Tout près de là, sur un affluent de l'Yonne, le Languisson, *Corbigny* est une petite ville tranquille. Elle ne se signale que par l'activité de ses foires et par son église du XVe siècle, du plus pur gothique flamboyant. C'est surtout la patrie de l'avocat et sous-préfet Maurice Legrand, plus connu sous son pseudonyme

→

▲ *En amont des ouvrages d'art qui jalonnent son cours, l'Yonne caracole sur un lit de cailloux.*

Œuvre de Gislebertus, célèbre sculpteur du Moyen Âge, le tympan de la ▼ *cathédrale d'Autun.*

l'emplacement de la scène; à la sortie de la ville, sur la route de Nevers, une tour ruinée de 24 m de haut, ayant fait partie d'un temple gaulois et surnommée, depuis le XIVe siècle, « temple de Janus ».

Ravagée par les Sarrasins, puis par les Normands, Autun fut ensuite rattachée au duché de Bourgogne. Au Moyen Âge, elle connut une grande prospérité dont témoigne la magnifique *cathédrale Saint-Lazare,* édifiée dans le premier tiers du XIIe siècle pour accueillir les pèlerins venus adorer les précieuses reliques du saint, ami du Christ et patron des lépreux.

De style roman clunisien, la cathédrale est imprégnée, intérieurement, de nombreuses réminiscences antiques et transformée, extérieurement, en église gothique par les chapelles latérales et le

clocher à flèche flamboyante ajoutés au XVe et au XVIe siècle. Depuis le siècle dernier, deux tours copiées sur celles de Paray-le-Monial ont rendu un aspect clunisien à la façade, qu'enrichit un des chefs-d;œuvre de la sculpture romane : le tympan du portail central. Représentant le Jugement dernier, ce tympan est l'œuvre d'un des plus grands sculpteurs du Moyen Âge, Gislebertus, qui l'exécuta entre 1125 et 1135, avec toutes les sculptures, ou presque, de la cathédrale. Les diables ricanent, les damnés hurlent, tandis que les anges font sonner leur trompette et que saint Michel pèse les âmes. Au centre siège le Christ en majesté. Ce trésor artistique fut longtemps invisible : en 1766, les chanoines du chapitre de la cathédrale, trouvant la tête du Christ trop en relief, la retirèrent et firent plâtrer le

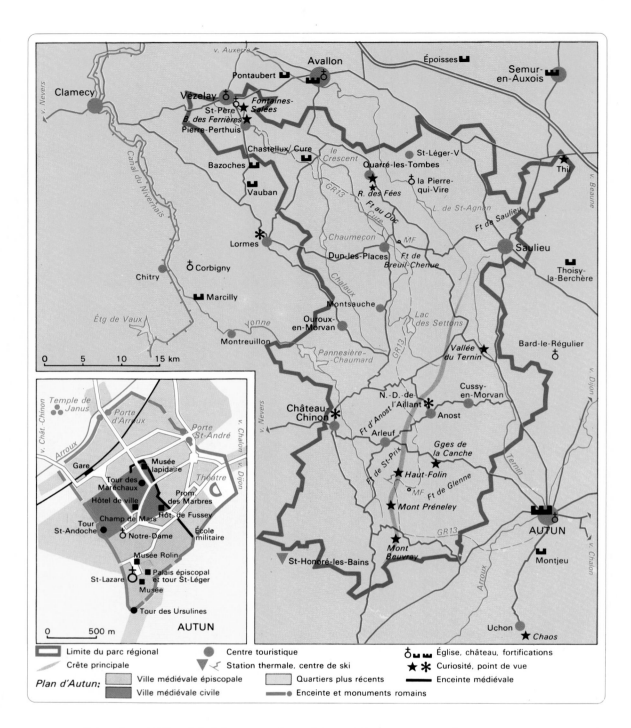

Plan d'Autun:

Map labels (Morvan regional map):

v. Auxerre · Avallon · Époisses · Semur-en-Auxois · Pontaubert · Vézelay · Fontaines-Salées · St-Père · B. des Ferrières · Pierre-Perthuis · Chastellux/Cure · le Crescent · St-Léger-V · Thil · Bazoches · Quarré-les-Tombes · Clamecy · v. Nevers · Canal du Nivernais · Vauban · GR 13 · R. des Fées · Ft au Duc · la Pierre-qui-Vire · L. de St-Agnan · v. Beaune · Cure · Ft de Saulieu · Lormes · Chaumeçon · MF · Saulieu · Corbigny · Dun-les-Places · Ft de Breuil-Chenue · Chitry · Chalaux · Thoisy-la-Berchère · Marcilly · Montsauche · Étg de Vaux · Yonne · Ouroux-en-Morvan · Lac des Settons · Montreuillon · Pannesière-Chaumard · Bard-le-Régulier · GR 13 · Vallée du Ternin · Cussy-en-Morvan · v. Nevers · N.-D.-de l'Aillant · Château-Chinon · Ft d'Anost · Anost · v. Dijon · Arleuf · Ternin · Gges de la Canche · Ft de St-Prix · Haut-Folin · Ft de Glenne · MF · Mont Préneley · AUTUN · GR 13 · Montjeu · Mont Beuvray · St-Honoré-les-Bains · v. Chalon · Arroux · Uchon · Chaos

Plan d'Autun labels:
Temple de Janus · v. Chât.-Chinon · Porte d'Arroux · Porte St-André · Arroux · v. Chalon · v. Dijon · Gare · Musée lapidaire · Théâtre · Tour des Maréchaux · Prom. des Marbres · Hôtel de ville · Champ de Mars · Hôt. de Fussey · École militaire · Tour St-Andoche · Notre-Dame · Musée Rolin · Palais épiscopal et tour St-Léger · St-Lazare · Musée · Tour des Ursulines · AUTUN

Scale: 0 5 10 15 km · 0 500 m

Legend:
- ▭ Limite du parc régional
- ● Centre touristique
- Crête principale
- ▽ Station thermale, centre de ski
- ✝ ▪ ▪ Église, château, fortifications
- ★ ✳ Curiosité, point de vue
- Ville médiévale épiscopale
- Quartiers plus récents
- Enceinte médiévale
- Ville médiévale civile
- ●━━ Enceinte et monuments romains

---

d'homme de lettres : Franc-Nohain (1873-1934). Journaliste, fabuliste, auteur dramatique, romancier, il a légué son nom d'emprunt (celui d'un petit affluent de la Loire, le Nohain) à son fils Jean, mais ce dernier s'est fait connaître sous un pseudonyme tiré du titre d'un roman de son père : « Jaboune ». ∎

Le Morvan à cheval

La randonnée équestre, qui permet de vivre plus près de la nature et de découvrir des horizons nouveaux, correspond à un besoin de notre société et offre aux citadins une excellente occasion de contact avec le milieu rural. L'Association régionale du Morvan, organisme de gestion du parc naturel, s'est donc intéressée à une activité qui, en même temps qu'une distraction et un sport, est aussi un moyen de connaissance du pays.

Plus de 1 000 km d'itinéraires destinés au tourisme équestre ont été balisés (flèches orange, traits de peinture orange et verts) et élagués lorsque c'était nécessaire. Dans le parc et à sa lisière, une quinzaine de centres d'initiation, de promenades de courte ou longue durée (de une heure à plusieurs jours) et même de voltige mettent quelque 300 chevaux à la disposition des cavaliers. Parmi les principaux, on peut citer :
— Centre équestre du Domaine de Rousseau, Bazoches, 58190 Tannay;
— Centre hippique du Morvan, la Chapelle du Chêne, 58120 Château-Chinon;
— Centre équestre de Saint-Thibault, château de Villemolin, Anthien, 58800 Corbigny;
— Centre équestre d'Ouroux-en-Morvan, Hôtel de la Poste, Ouroux-en-Morvan, 58230 Montsauche;
— Ranch équestre du Morvan, Mézauguichard, Dun-les-Places, 58230 Montsauche;
— Poney-ranch de la Cassière, Gien-sur-Cure, 58230 Montsauche;
— Centre équestre du Nord-Morvan, haras de Kenmare, Le Meix-Saint-Germain-des-Chaps, 89200 Avallon;
— Relais équestre de Preben, 71550 Anost. ∎

---

tympan. Dégagé en 1837, celui-ci fut restauré en 1858 par Viollet-le-Duc, mais c'est seulement en 1948 que l'admirable tête, retrouvée parmi les collections du musée Rolin, a repris sa place.

L'intérieur de la cathédrale, voûté en berceau brisé avec arcs doubleaux, a conservé son caractère roman clunisien, malgré les fenêtres gothiques percées dans le chœur, et les vitraux modernes. Les chapiteaux, débordants de vie, méritent un examen détaillé, et la première chapelle latérale gauche abrite une belle Vierge à l'Enfant du XVe siècle, en marbre blanc.

À côté de la cathédrale se dresse une charmante fontaine Renaissance à coupole et lanternon, dite « fontaine Saint-Lazare ». Tout près de là, dans la rue des Bancs, auprès d'une belle tour ronde qui défendait jadis une porte fortifiée, le *musée Rolin* occupe non pas l'hôtel Rolin, malheureusement détruit, mais une dépendance de celui-ci, et l'hôtel Lacomme construit à son emplacement. Natif d'Autun, Nicolas Rolin, chancelier du duc de Bourgogne Philippe le Bon, fut un authentique mécène. C'est lui qui fonda l'hôtel-Dieu de Beaune, et il combla sa ville natale de largesses. Un de ses fils, le cardinal Rolin, évêque d'Autun, paracheva son œuvre. Parmi les

trésors que renferme le musée, l'un des plus riches de Bourgogne, on trouve de belles antiquités gallo-romaines, des chefs-d'œuvre de la sculpture romane (notamment des statues provenant du tombeau de saint Lazare et une *Tentation d'Ève* de Gislebertus), des primitifs français et flamands (parmi lesquels la célèbre *Nativité* du Maître de Moulins, où le cardinal Rolin figure en tant que donateur), et l'un des plus beaux fleurons de l'art bourguignon de la fin du XVe siècle, une statue de pierre polychrome d'une grâce exquise : la *Vierge d'Autun*.

Ici, chaque siècle est représenté. Même le XIXe, avec les deux grands terrils qui rappellent que, il y a 100 ans, Autun exportait du pétrole (extrait des schistes bitumineux) jusqu'aux États-Unis. Comme le Morvan, dont elle est une des portes, la ville ne demande qu'à se laisser ouvrir par le sésame de l'amitié. Il faut savoir s'attarder, prendre le temps de voir et de découvrir. Savoir laisser à la ruelle, au sentier, au lac, au torrent, à la prairie ou à la futaie le temps de vous accueillir. Il faut apprendre à regarder et à écouter le Morvan. Ce sanctuaire naturel, où le citadin s'intègre sans peine, a découvert depuis longtemps le secret de la qualité de la vie : manier prudemment les outils du progrès pour en atténuer les méfaits.

Index

Les lettres placées devant l'indication des pages renvoient aux chapitres suivants :

VBG (Bourgogne, royaume de Monseigneur le Vin)
CHB (Châteaux et places fortes en Bourgogne)
BR (L'art roman en Bourgogne méridionale)
VEZ (La basilique de Vézelay)
GNY (Les grandes nefs de l'Yonne)
MOR (Monts en Bourgogne, le Morvan)

Les pages sont indiquées en **gras** lorsqu'il s'agit d'une illustration, en *italique* pour le renvoi à la carte.